JN014069

井上 道義

欲張り指揮者の
エッセイ集

降福からの道

三修社

降福からの道
欲張り指揮者のエッセイ集
井上 道義
三修社

まえがきにかえて

わが王道へ戻る時

僕の名前の「道」michiは、イタリアではミキ、フランスではミシ、そして特に親しい人々はミチと呼ぶ（小学校の友達は「ミッキー」だ）。だからってわけとは思いたくないが、僕は我が道を行きっぱなしだ。道草も、わき目もみーんな、歩くための食いだめでしかない。なんてエゴイスティックで、貪欲で、我がままなのだと人は叫び、自分でもあきれる。この道はどこへ……いくの……か？

でもこの考え方のみが音楽をやり指揮をする道だ。その方法は命と引き換えでしか変えられない。人が歩く向こうには、全ての人々をのみこむ、または全ての人々を招きあげる場所が用意されているだけだ。

僕はどんなものでも、自分の歩く道に合わないものは、無視するか、作り直すか、どちらかを選んできた。相手に僕の信じる道を通る懐の深さがない場合には、少しだけ悲しみ、自分の描く王道へ戻る。

その道が時に「道義（どうぎ）」に反しているとしても！

「みち michi」No.89　一九九二年年十月　道義45歳

目次

I. 人生の道

Ⅱ.音楽の道

Ⅲ. 街から街へ

Ⅳ.交差点

V. 舞台への道

I

人生の道

十三歳、「世界の美しさ」感じた

「未来だった今より」二〇一一年四月六日　道義64歳

僕は指揮者になろうと決めて五十年やってきて「今」を迎えていますが、十三歳までは指揮なぞ考えもしませんでした。どんな人でも、可能性いっぱいの子供時代を経て、何らかの名の付く「しごと」＝役目を持って生きるのが近代の「普通」の人生です。演歌歌手、寿司職人、農業を営む人、通訳、誰かの妻、指揮者……。何も役目のない人間は仙人などと名付けるのかもしれません。蟻や貝や鳥のように「ただの人間」を演じるのは実は大変困難でしょう。

思い出すことがあります。パリで、美しい蝶と蛾（さらに美しかった）が交互に何匹も並べられ、その横に、いくつかの貝殻（一見違いなく見えるが実は分類学的には遠い種類の）が並べられている小さな展覧会を見た時、僕の目から鱗と涙が落ちたのです。全ては名付ける側＝人間側のたぶん文化と呼ぶものの中の問題にしか過ぎない、と。

音楽だけでなく多くの芸術作品、いえ全てのモノは、語られず、打ち捨てられたように扱われれば、人は価値を見出せない。僕自身、十三歳まで「世界の美しさ」を全くわかっていませんでした。ある日突然、学校の朝礼時に、《空は青い＝美しい、木々は緑＝すがすがしい、同級生の女の子＝魅力的だ》と滝に打たれたように感じ、同時に、そんな肯定的な感覚を死ぬまで持ち続ける人間になりたいと願った。滝の側になりたい。何か生命力をぶちまける滝となっていきたいと。

十三歳の時未来だった「今」を書き続けようと思います*。

編注

*「未来だった今より」は朝日新聞石川版にて二〇一一年四月六日～二〇一三年三月二十六日まで連載された。なおこの連載期間を含む二〇〇七年～二〇一八年まで、オーケストラ・アンサンブル金沢の音楽監督を務めていた。

十四歳の決心

「未来だった今より」二〇一一年四月十三日　道義64歳

春ですね。人生の早春の頃……、僕は指揮者になる！　と志を立てた。前回書いたように、十三歳で世界の美しさに目覚め、《滝になりたい》と感じた後です。それまで僕は、自身がやりたいことをできなかった母の身代わりか、贅沢にいろいろなチャンスは与えられていても、適当にしていただけでした。英語や数学の個人教授、ピアノ、バスケットボール部、演劇部、ドラムたたき、ウクレレ、スキー。一番好きだったのはバレエ！　でも、当時の友達は、「ミッキーは目立たなかった」と言います。確かに可もなく不可もない「お坊ちゃん」でした。

それがある日一変した。羽振りはいいがアル中で大嫌いだった親父が、「ボウズ、高校には自費で行け！」と言い放った。「義務教育は中学までだからナ」。慌てた。冷水を滝のように浴びせられた感。母いわく、「正義さん（父）の本心はあなたに授業料を出す理由を持ってこさせたいわけよ。彼は移民だった両親の崩壊した生活を支え、禁酒法時代のシカゴで怪しげなアルバイトをしながら大学を首席で卒業した人よ」「えっ？　あの飲んだくれ親父が？」

それからの二ヵ月、勉強もせず考え続けた。百余りの可能性を書いては消しての消去法。その結論が「指揮者というものに向かって死に物狂いで挑戦する！」だった。それまでの自分の蓄積も最大限活かし、予感した長生きにも耐える目標だと。でも「指揮者という職業」に僕の性格は向いていないと今でも思う。僕は職業を選んだのではなく、自分を最も生かせる世界を考えた。十四歳の決心だった。さて今、それを肯定できるだろうか？

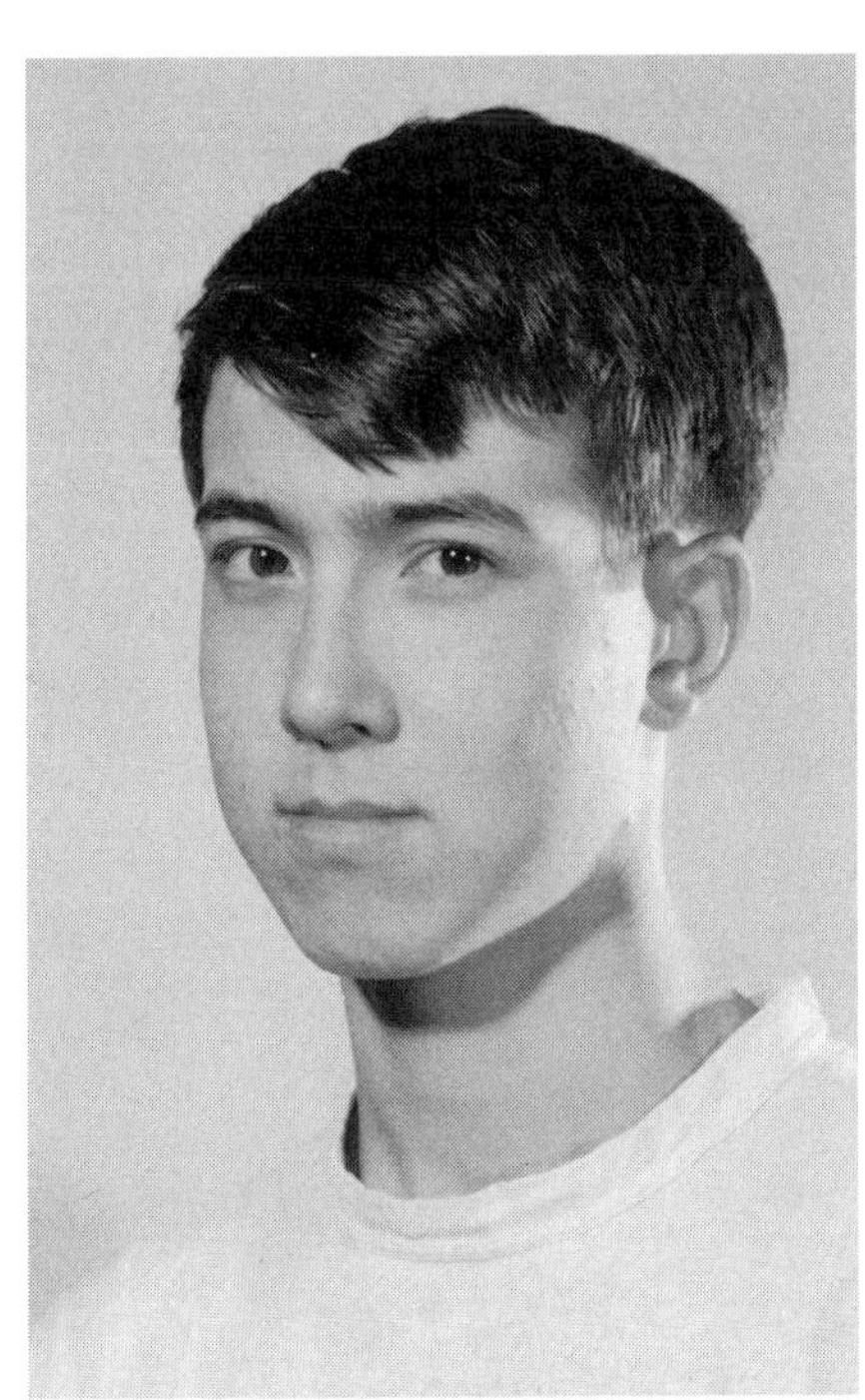
14 歳の頃

幸福=肯定？

「未来だった今より」二〇一一年四月二十日　道義64歳

自分を肯定できるということが、自分を幸福と思える唯一の条件だと僕は思っています。ただし人さまにも神さまにもどう思われても良い！　というくらい強い強い「自分の主観での肯定」でないと意味がないのですが。

でも、言うは易く行うは難し。他人に無視や反対をされては、「私はこれで良い！」となかなか考えにくい。何より肯定の前提の「自分の主観」を持つことが大変だ。僕は五十年をそのために費やした気さえする。十四歳であれ六十四歳であれ、生きている限り欲望が生まれ、その裏返しとして将来への不安、社会とのあつれき、家族や友人知人恋人との誤解や不信も生まれ、「安心する」ことは困難だ。安心、すなわち自分の心を安らかに捉えられるか？　社会的に成功していても一皮むけば心が病気な人は多い。僕の父、正義はその最右翼だったかもしれません。

彼は広島から米国へ移民した祖父の息子でした。頭の回転も羽振りもよかった父ですが、内面はアメリカでもなく日本でもなかった。故郷はどこにあると言えず、日本語も書けなかった。

戦争が始まり、収容所に入れられかねない米国から「来日」、母と社内結婚。しかし日本では英語の短波放送を聞くだけでスパイ扱い。移住したフィリピンでは米軍に追われ、母とジャングルに四ヵ月、死線をさまよった。戦後、命からがら帰国した日本で、じきに授かった赤ん坊が僕だ。僕にとっては、日本でも米国でも欧州でも豪州でも、自分を生かせる場所こそが住む所。「日本人」として自分を定める根拠は「母国語が日本語」、今もそれだけ。あなたは「なぜ自分が日本人と言えるか？」という問いに何と答えますか？

父と母

続・幸福＝肯定？

「未来だった今より」 二〇一一年四月二十七日　道義64歳

前回、「自己肯定」と幸福との関係について書きましたが、偶然、最近それを感じる機会があったので、自画自賛でみっともないけれど書きます。

四月十八日、東日本大震災によりフル編成での活動の場がない仙台フィルと、アンサンブル金沢（ＯＥＫ）との合同の復興支援コンサートが、金沢であった。仙台のメンバーは八時間のバスの旅の後すぐ、ＯＥＫも別の午後のコンサートの後すぐ、二十一時まで。山下一史君指揮で仙台が「フィンランディア」などを演奏。僕は金沢と仙台の混成オケでドボルザークの「新世界より」を振った。この曲は彼の故郷チェコへの望郷の思いと、アメリカにいる彼自身の自己肯定を音楽的に試みた作品だ。世界中、はいて捨てるほど演奏されている「真の名曲」（名曲とは少々のボロ演奏でも聞くに耐えられるから名曲なのだが）、よせばいいのに忙しい時期にこれをやる決心をしたＯＥＫともども、今こそこの名曲の高貴な本質を高次元な演奏で表現できないで仙台の音楽家はどうするのか？　僕も今までの経験を全て賭けた。

安永徹さん（二十五年間ベルリン・フィルのコンサートマスターだった）が客席にいた。学生時代も尊敬する下級生だった彼が、コンサートの後、「素晴らしかった。一点もセンチメンタルでなく、ドボルザークのメランコリーが満ちあふれていた。実はこの曲はあまり好きでなかったけれど今から好きになった！」。夜中にはもう一度電話をくれた。値千金の言葉だった。何かが肯定できた。翌日、両親の墓に五年ぶりに寄ってみる気になった。日本は父の故郷ではないが、霊園の桜がブラボーと叫んでいるように満開だった。

優越感

「未来だった今より」二〇一一年五月十八日　道義64歳

劣等感＝コンプレックスと思われがちだが、正しくはインフェリオリティー・コンプレックス。優越感を保ちたい気分も、精神のゆがみと捉え、スーペリオリティー・コンプレックスと呼ばれる。

父親がアルコール依存症、祖父や兄という存在がいない家庭育ちの僕は、年長者を敬う感覚が育たなかったらしく、若い頃は目上に刃向かう傾向が強かった。実力も才能も魅力もあると認める人には問題がなかったが、世間的に高い立場だけの人や、若者を見下す人、野心だけで才能のないやからにはタスマニアデビルのようにかみついていた。

十四歳で指揮者なんぞ目指したのも優越感を保ちたいからだったのかもしれないが、「父親や先生や先輩たちのようになりたくない病」が僕の心のコア部分を占めた期間は長かった。酒の席やゴルフ場でないと本音が言えない社会、自分をピラミッドの頂点に立たせるためなら媚びへつらい気を遣う生き方、それらを嫌悪していた。

随分前だが、ある世界的なオーケストラを指揮した時、人間関係のマイナス点を見つけることのみにエネルギーを使う「みんな九十五点以上」のその優秀集団の有り様は「目から鱗」。ああ！　そうか！　上に行くと下を見るほかなくなるんだとショックは大きかった。

　ここ十年、僕は目の前の人を直視すること、自分をできる限り生かす環境作りに集中している。明日はどうなるかわからないし、上に登って見える景色が切り立った岩だらけで空気も薄い凍りつく所と知れば、アタシャそんな所にいたいほど落ちぶれていないと感じるからだ。人との比較の上の優越感は、劣等感や嫉妬と同じく、最低な感情で人を汚すと思いませんか？

タスマニアデビルだった頃

ラぁ〜ぁ〜♪

「未来だった今より」 二〇一一年八月十日　道義64歳

オーケストラ・アンサンブル金沢は先日、金沢市の小学校でちょっと素敵な企画をした。まず、楽員がバラバラになって全ての教室に散り、担当のクラスで楽器や音楽の話をし、持参の楽器を奏でる。それから子供たちを体育館に連れ出し、全校児童とＯＥＫのメンバーがそろったところで、今度はオーケストラで、ベートーベンのひとつの楽章を演奏し、聴いてもらったのだ。楽器と音楽家との、個人個別のふれあい。その多様な個が集まって作り上げるものの豊かさ。音楽を丸ごと感じてもらう企画だ。

膝からも汗がふき出す暑さの中、体育館での演奏だったが、子供たちから忘れられない贈り物をもらった。演奏の前にラの音で合わせた時、「なんでみんなあくびしているの？」と手をあげた子がたくさんいた。なんという感性！　楽員さんはそれ以来、ラを合わせる日課が楽しくなった。小さなことに隠れている驚きを素直に驚くこと。我々が彼らから学んだ。

僕も昔は子供だったからいろいろ思い出す。夏は暑くてもつらかった記憶がないとか。言葉の通じない外国人でも子供となら遊べたとか。その頃覚えたことは今も覚えていて今でも間違えないとか。嫌な経験は意外と忘れているとか……。それは僕の性格かもしれないが、子供はみんなそうなのではないか？　今より明日が面白そうだという気持ちにあふれ、知らないことを知り、知らない所に行く時のドキドキワクワク。老いるとそれがなくなるのだろうか？

いや、それすらもまた認めよう。受け入れよう。「経験」することが不可能な、死のドキドキワクワクも。

くすのきぐみ

道義　64歳

「未来だった今より」二〇一一年九月二十八日

僕の人格形成に大きく影響を与えたのが小学校のクラス「くすのきぐみ」だ。東京の世田谷区にある私立成城学園初等科だが、今も多ければ二十五人ほどが同窓会で時々集まる。

その頃としては珍しく、劇の時間、散歩の時間、お遊びの時間、彫塑の時間、音楽と舞踊の時間、そして冬は湯沢でスキー学校、夏は富浦で海の学校などもちりばめられていた。今ではありえないらしいが、六年間担任がかわらず、一年生の時に二十四歳だった個性の強い先生には何度も頭をたたかれながらの六年間だった。木造のボロい教室。冬は石炭のダルマストーブに細工して、煙で授業が続けられないようにイタズラしたもんだった。

その頃、僕は授業中に抜け出して飛行機の模型を買いに行ったり、バレエ団の巡業で授業を何度も休んだりして劣等生だったかもしれないが、コンプレックスは全くなかった。みんな、いろんな得意なことがある反面ダメなものもあると知っていたから。

指揮者になることを決心した十四歳の時の初心は今もそのままだ。自分の持つものをトコトン伸ばしたい、できないことはしなくてもよい。でも好奇心や人への興味は絶対捨てない。

小学校での演劇

地球上には想像もできない美しいものや恐ろしい出来事がたくさんあることなど、大事な基本もくすのきぐみで学んだが、運がよかっただけとは思わない。

最近、平等という幻想に人々は呪縛されている！　凸凹こそが世界を（音楽を）作っている！人はみんな違う。蝶だって蟻だってみんなよく見れば個体が違うように。それを結びつけるのは、やっぱり愛というやつなんだろう。

全てを疑う

「未来だった今より」　二〇一一年十月五日　　道義64歳

僕は、両親との関係から生じたのか、友人や恋人との関係からか、自分から湧き出たものか、わからないが、強い一つの考えを背負っている。それは、全てを疑うという性格。そしてそれを誇りにも思っている。自分をも疑い続けた。自分の正義感を、努力を、愛を、言葉を。口から出る言葉と裏腹な行動や態度の人を激しく疑う。

母親に毎日曜教会に連れられていったキリスト教でも「唯一なる神」の存在を疑い、人並みに十代後半では生きる意志や意味さえ疑うところまで陥った。親との対立から発し、目上といわれる存在、尊敬すべき人物全て、敵視さえしたから、遠回りばかりしたと思う。

そのうち、人間も、知名度や人気と、真に価値ある存在であることとは時に相反することさえあること、時間や距離をおいて視点が変わると「常識」や「真実」も揺らぐこともわかってきた。全ては人間の思考から出たことだと。

今、少しずつ受ける放射線が本当に危険なのか、少し前に騒がれたオゾンホールが本当に危険なのか、温暖化が人類にとってマイナスなのか、バイキンに触れないことが健康のもとなのか？

戦争はあまりに悲惨だから世界からなくすべきことなのだろうが、僕にはジョン・レノンの「イマジン」という歌（世界の人々が平和で生きる）が世界で一番退屈な歌だと思われる。世界大戦は人類の滅亡につながるから避けたいが、何も戦いのないマッタイラな平和には人は耐えられないのではないか？　と疑う。ただし同時に戦争や殺人は「自分にはできない」と、信じたい、思いたい（イマジン＝夢想する）自分がいることだけは信じている。イマジネーションとはなんという独り合点か！

先生たち

「未来だった今より」　二〇一一年十月二十六日　　道義64歳

僕が本当にお世話になった先生は、六人。全て昨日のことのように憶えている。

幼稚園の弥富先生。初めてピアノを教えてくださった。年下の旦那さんは小さな工場を持っていて、旋盤などの工作機械があり、僕はレッスンの後にいつも入り浸った。その影響で今もうちに日曜大工工具で無いものは無いかも。

小学校の担任、生越先生。劇作家志望で、教え子はみな演劇をやらされた。おかげでオペラの演出や役者のまねごとは人に何と言われようとやめられない。

十五年続けたバレエでは服部智恵子先生。若い頃はバレリーナだったが、その頃は太ってどうにもならないのに愛情があふれるレッスン。先生というのは実際踊れなくても愛と理論があり人の尊敬があればできると気づいた。

十六年続けたピアノでは山岡優子先生。フランス帰りで、僕が十四歳の時に近所に嫁いできた。思春期の僕に自分の才能を発見させ、揺らぐことのない自信を植えつけてくれ、時に厳しく否定された。

七年習った指揮の齋藤秀雄先生。弟子は誰でも、音楽に対する帰依と情熱、明確な理論、プロの音楽家に対する疑いのまなざし、有名になろうとする人間への理解と侮蔑を両方学んだと思う。

もう一人、指揮のセルジュ・チェリビダッケ先生。齋藤先生の理論や人間性を、まるで鏡の裏側から見たような正反対の方法で、音楽を人々の英知と天才だけが到達できる高みに遠ざけた？ 人だ。真の音楽至高唯一教信者？ だから、当然徹底的エゴイスト。

このようなすごい人たちの影響で僕は培われたらしい。

幼稚園で。手に指揮棒を持っている !?

兄弟子の受賞

「未来だった今より」 二〇一一年十一月二日 道義64歳

先日、東京・明治記念館で世界文化賞の授賞式があり、「007」のM役で知られた英国女優のジュディ・デンチさんらと共に、指揮者の小澤征爾さんが受賞した。僕より十一歳年上。食道がんの手術などで痩せてはいたが、眼光鋭く、表情はキビキビしていた。日本人としては想定外のウィーン歌劇場音楽監督まで経験した人で、何でもかんでも暗譜することにエネルギーを注ぎ、ついに現代オペラも暗譜でやるというところまで努力したことに頭が下がる。僕は売り出しの頃は助けてもらったが、そのあと手のひらを返したように杭を打たれっぱなしで素直に語れない人なのだが、そんな小澤さんへの賞の審査員をする巡り合わせになった。

ベストセラーとなった小田実の『何でも見てやろう』（一九六一年）の時代の文字通りの体現者だった小澤さんは、N響とけんか別れをし、その後に指揮者になった日本フィルも潰れてしまい、運命的に外国で仕事をせざるを得なかったこともあるが、やはり強い上昇志向と音楽の欲求があそこまで登らせた。僕は、岩城宏之さんと違ってこの人生観も価値観も違う兄弟子の存在と、上手く付き合う方法を持っていなかった。

小澤征爾さんと（1985 年）

翻って感じるのは、どうも僕は十四歳の頃「自分を生かすために指揮者になろう」と思い、二十代前半でその夢を貫徹、その上その後も思ったより大活躍、ある達成感さえ持ってしまったせいか、さらに厳しくトコトンやる気になれない自分と比較し、ある種の苦い苛立ちを感じてきたというのが正直なところだ。もちろん、そんな自分も後輩にどのように振る舞うかでは厳しい自己検閲を課すつもりだ。

達成感

「未来だった今より」　二〇一一年十一月九日　　道義64歳

前週、兄弟子の世界文化賞受賞で少し触れたが、近頃、僕自身は危険な精神状態にいると感じる。やりたかったあれもやったし、なりたかったこれにもなった……という達成感の海に、クラゲのようにフワフワ浮かんでいる。

指揮者になりたいと思って二十五歳でなってみたものの、「良い指揮者」になる気がなかったことに気づき、ヨーロッパのかなりのオーケストラ、日本の主たるオーケストラの客演をたくさんやり、努力と経験を重ね、今、なんとか良いそれ、になっている。

オペラなどの演出も名作を中心に随分やった。テレビも一九八〇年代にＮＨＫのゴールデンタイムで黒柳徹子さんと一緒にやったり、「第九をうたおう」という番組を作ったり。その後もマーラー交響曲全曲演奏会、ショスタコーヴィチ交響曲全曲演奏会、先日はＯＥＫの楽員さんにバカにされる危険も顧みず、向こう見ずな勇気でヘンデル役の役者もやり*、マトモな批評家から「お褒め」もいただいた。

奥さんは元気で張り切って仕事もしているようだし、転んでお岩さんみたいな顔になった妹

達成感の裏で？

も全快したし、家のつがいのアヒルも、僕自身も元気だ。
もう今は、何か悪いことが起こらないよう神様仏様に祈るしかないのかもしれない。いっそ苦しんでいる人にあるものみな寄付して死んでしまえばよいのか？「こんな最低なクソジジイの過去の勲章の掃きだめのような状態をなんとかしたい」とこの原稿の下書きを親友に見せたら、「君は二十五歳の頃からこう言ってた」と笑われた。生まれて六十五年経ってもこんなにみすぼらしいのは、まるで我が国の状況そのままだ。なんとかしたい！　どうする？

編注
＊本書《V舞台への道「ヘン装してデル」》参照。

帰省できない！

「未来だった今より」二〇一一年十一月三十日　道義64歳

東京・世田谷の成城生まれの僕は、若い頃、帰郷や帰省など、お盆や正月の人の動きに強く反発した。東京生まれの人間はどうしろっていうのだ、と。東京生まれには故郷はないのか？故郷とは野や山や川のことか？　それなら近くにも十分あったのに壊された。野は住宅に、山も切り刻まれて住宅に、川は道路に。なぜ東京にみんな、働きに来るのだ？　生まれ育った場所が本当に大切ならなぜそこで仕事をしないのか？　仕事がないから？　だったら創れよ、仕事をするとは何かを創作することだ！　と。今でもそう思う。

僕の師匠の齋藤秀雄たちは留学し（＝東京に行き）、日本の現状を憂い、帰国（＝帰省）し、多くの弟子を育てた。僕自身はといえば、外国で指揮の経験をたくさん積み、故郷の国と対峙したくなって新日フィルの音楽監督を五年やり、京都の音楽監督を八年やり……覚悟が足りなくて轟沈した。だから今、金沢で仕事自体を創作している人たちと音楽をやっている。逆にウィーンなどに長く居着く人の気がしれない。季節労働者と同じだから。

最近日本の新入商社マンが外国に行きたがらないと言われているが、批判は時代錯誤ではないか。そんな新入社員も必要ある時には行くだろうし。今や欧米で名を上げ「故郷に錦を飾る」という言葉は死語ではないか？

見回すと二十一世紀の日本は様々な自己実現ができる、人のうらやむ国ではないか？　欧米との関係も上下のそれでなく、多様な関係の一つだと。本音を書くと、過去を全部ぶち壊して、和魂洋才とか富国強兵とか大国対抗意識にのぼせた維新あたりから、小さいが質の高い国造りの哲学でやり直したいのだが。

平らの

「未来だった今より」二〇一二年一月十八日　道義65歳

NHK大河ドラマはNHK交響楽団が幕開けのテーマ音楽を受け持っている。その指揮を時々頼まれるが、今回の「平清盛」も担当させてもらった。

世の中の全ての事象と同じで、大河ドラマも良い時も悪い時もあり、内容が良くても視聴率が悪い、逆に悪くても視聴率が良いこともある。画面が綺麗だとか汚いとか、知事や市長が話題にするのは、実は良いことの部類だ。ニュースや噂は昔から悪いもの、不幸なものの方が強い伝播力を持っているからだ。

そういえば以前「篤姫」*で素晴らしいテーマ音楽を書いた吉俣良さんの時も、今回の吉松隆さんの時も、録音の際に作曲家やオーケストラと、テンポのことだけで一触即発の緊張感があった記憶がある。すんなり何事もなく録音が進んだ時の結果が良いとは限らないのが芸術の面白いところだ。

最近、いや僕が若かった頃の四十年前でもそうだが、若い指揮者はオーケストラの団員と上手くすんなり仲良く、集団の一部として音楽をやる傾向が強くなっている。世界的と言われている人でもだ。しかし、指揮者なんていなくたって音楽はできるわけで、本当の芸術的な指揮者がやるべきは、その日の演奏に他と入れ替えることが考えられないほどの刻印を押すことだ。だから、たかが大河ドラマのテーマ音楽の録音と捉えるか、それが一年間のドラマの内容にさえ影響を与える重要な音楽と捉えるかは、人が誰もがとるべき現在への態度と同じで、「その場に命をかけるか?」ではないか。清盛は泥まみれになって何のためにどう生きたのだろう?今の日本は道という道は裸足で歩いても痛くないアスファルトばかりだ。

編注
*大河ドラマ「平清盛」の初回視聴率が悪かったことに対し、当時の兵庫県知事が「画面が汚い。鮮やかさのない画面では観る気にならない」という旨の苦言を呈した。清盛により造営された福原京があった兵庫県と神戸市では、放送に合わせて観光客誘致活動を進めていた。

お天気人間

「未来だった今より」二〇一二年一月二十五日　道義65歳

僕は自分が植物だと子供の頃から思っている。それは天気が良ければ全てがポジティブに考えられ、冬の曇天が続くとどこまでも落ち込み、時々病気になるほどだからだ。南国の沖縄に僕が望むような舞台芸術があれば移住したいほどだ。しかしそれは幼稚な「憧れ」にすぎず、やはり僕に何より必要なのは、本格的な舞台での創造の自由な空間と、言葉の通じる何人かの人たちだ。

深さを秘めた複雑さもあるクラシック音楽を育んだ高緯度の欧州の冬は、北陸の冬よりもきつい。プッチーニのオペラ「ラ・ボエーム」に憧れ、その舞台のパリ、カルチエ・ラタンにアパートを買い、欧州での活動に本腰を入れようとした四十歳の頃、京都市交響楽団から誘われた。迷った挙げ句、日本で徹底的に戦おうと方向転換し、アパートは夏休みにバカンスで人のいない街を徘徊するための宿となり、ついに売ってしまった。しかし本音は欧州の長い曇天生活に耐えられなかったのだ。

こんなにも自分がお天道様に影響されるなんて、まるで根っこがあって動けない植物みたいだ、と感じているし、そのことを欧州のマネージャーに話したら馬鹿にされもした。とはいえ植物というのは根っこさえしっかりしていれば葉が落ちても、枝を切られても再生するすごい生き物だ。長い目で見ればその力は恐ろしいほど。

時空を越え過去の作曲家との会話を深める演奏の仕事が人生航路ならば、立ち寄る港（住む場所）は愛する人々がいるこの島国がよいのだ。そのことと、日本という国家やさえない街の景色を自分のものとすることとがイコールでないのが、実は根っこのない動物的な僕の子供の頃からの問題なのだが。

老いた一匹狼

「未来だった今より」二〇一二年二月一日　道義65歳

「リトル・マエストラ」という映画の端役で、外国人の老指揮者を演じるためにカツラを被った自分の顔を見ていて、四十年前を思い出した。

音楽家にはユダヤ人の才能が大いに寄与していることは誰もが知っていることだが、なぜなんだろうといつも思っていた。直感みたいなものだが、たぶん彼らは民族としては強い連帯を持ちながら、長く共に住む国がなかったことが続いたため、周りの人々とコミュニケーションをとる難しさを常に感じていたからこそ、音楽の力を借りたのではないか。音楽に携わる人は、他人と言葉を交えなくとも共生感を持てるツールとしての音楽の強さを信じている。

僕が二十四歳でミラノ・スカラ座の指揮者コンクールで優勝した後、ホテルに電話があり「君、ロンドン交響楽団と録音しないか?」と、いくらなんでも眉唾ものの売り込みがあった。「来い」と言うから、賞金の一部で車を借りて、着いたホテルは豪華なシャトーホテル。後で知ったがそこの一番安い部屋に泊まっていた。彼はその頃台頭してきた日本の資本を上手に使い、ユダヤ的なコミュニケーション能力(七ヵ国語を話した)を使って大風呂敷を広げる、老いた一匹狼のマネージャーだった。

でもそんな彼がウィーン、ザルツブルク、ベルリン、ロンドンと、僕を紹介して回ってくれた。無償で？　と疑問に思ったが、なんと彼は過去にブラジルでたくさんの汚職で財を成したポーランド生まれのお金持ちユダヤ人だったのだ。彼の年取った奥さんはかなりいいピアニスト、娘は最低な歌手もどき。その二人のためにレコードを作ることに彼の情熱の全てはあったのだ。音楽への愛？　ふ〜！　次週に続く。

続・老いた一匹狼

「未来だった今より」二〇一二年二月八日　道義65歳

先週書いたユダヤ人の一匹狼のマネージャーは、最終的に、「お前は俺にコーヒー一杯おごろうとしない！」と突然怒り、関係が終わった。これなんか、四十五歳も年上の大金持ちに金銭を払うなんぞ逆に失礼と思っていた日本人の道義との違いか。しかし、欧米発祥の芸術で欧米のトップに伍していくにはそれこそ他人のフンドシで戦う必要もあるようで、僕の先輩も後輩も誰それの弟子ということを常にアピールし続けた。そういう手を使う人は今も多いが、僕は心底恥ずかしくってできない。他の何物にも代えられない存在になりたい欲望がやたらに強い。

しかしユダヤ人のように国も奪われた民族から見れば、そんな甘い青二才的ナイーブさは噴飯ものだろう。彼らは利用できる人には本気で頭を下げるし、相手の欲望をすぐ見抜きあからさまに利用する、したたかさが信条だ。タイプライターで三枚四枚と推薦文を書いてくれたこのユダヤ人と離れてから、自分のパンツで（フンドシ、でなくてね）世界と戦い、実は彼の方法をかなりまねしてやったが、上に登れば登るほど激しくなる駆け引きや、うそ八百の人間関係には心底閉口した。

急峻な山は高くなれば住みにくく、立てる場所も狭くなる。下から仰ぎ見る世界とは違うものだ。自分がそこに立つことに強い意義を感じられなければ面白いものではない。僕は、遊びをせんとや生まれける、の人間だからなあ。

待てよ、僕もああいうのを心のどこかでうらやましいと思っているのかもしれない。まるで故郷を捨てて都会に行き、裸一貫で誰のものでもない自分の人生を暴れまくり、しかし称賛に満たされたある日突然殺されるような短い人生を。

三月十一日

「未来だった今より」二〇一二年三月十四日　道義65歳

三月十一日が過ぎた。日本人に、世界中の人に、津波の怖さを刻みつけた事件は、どんな人間にとっても避けられない死がいつでもすぐ隣に居ることを気づかせた貴重な体験でもある。

全く意図しない偶然だが、その一周年の日に兵庫県立芸術文化センターで、ショスタコーヴィチの交響曲の中でも最も色濃く死と対峙した作品、交響曲第十四番を振った。三月三日には金沢の県立音楽堂で、また翌四日には関東大震災の後に造られた東京の日比谷公会堂でも、同じ曲を演奏した。

人間は死を恐れる。しかし、死なくして歓びも悲しみもなく、忘却もない。永遠に生きるというのは死をも意味する。太陽は生きていると言えるのだろうか？　時間さえ永久に存在するという証拠を科学は証明していない。

「死は恐るべきものでなく人の中に常に住んでいる」というメッセージがその交響曲の最後に歌われる。二人のロシア人の素晴らしい声が熊のような体格から響き渡る。たぶんアジアの人間には百年経ってもできない声量。

かの国の人は、シベリアに抑留させた日本人が飢えや寒さで死んでいったことをほとんど教えられていないせいか、日本のことが楽天的に好きだ。私見だが、それを知らされてもあまり変化はあるまい。なぜなら自国民さえも含むその数の百倍ほどの人々が粛清された過去を持っているから。そんな人々の厳冬は長く暗い。そこからプーシキンもドストエフスキーもチャイコフスキーも生まれた。

尊敬しあい仲良くしたい。いま生きている僕たちは、プーチンとも、ロシア人とも、死とも。

正夢か？

「未来だった今より」　二〇一二年四月三日　道義65歳

僕はほとんど毎日夢を見るが、時々見た後にストーリーを書き置いておくことがある。今回のはそれ。

富士山の頂上近くの山小屋に、僕がなぜか噴火制御とコンサート準備の仕事でいる。そこに小澤征爾さんがよせばいいのに一人でヨレヨレやってくる。食道がんの手術後体力が戻っていないと、一年間の休養が発表されたばかりなのにだ。彼は頂上に来たつもりなのに、僕たちが三ヵ所にも分かれて工事？　をやっているので、いぶかしげだ。「じゃあ見せるから」と、僕は寒いのに四輪駆動に乗せて案内する。彼はもう自分で起きられない。足を支えたり抱いたりしてやっとこさ現状を見せる。

するとその先にも山があるので彼は驚く。僕は「下から見ればここは頂上だが、もっと上まで山はあるんです。霧に隠れて今は見えないけど、細い急な泥道もあってバスさえ登って行ってます」と言い、そこで目が覚めた。

彼はひとえに山の頂上に登ろうとし、道を極めた人だが、登るには人の力も大いに使った人だ。彼と僕の師でもある齋藤秀雄先生も、登頂する道は一つしかないと言い続けていた。でも頂上近くでは今も工事（芸術？）をやっている人が日夜戦っているのを聞いて、そこに参加しに来たようだ。山は強い意欲があれば子供でも年寄りでも登れる。まず必要なのは意欲だ。しかし意欲はあっても、さすがに人にはできない時が来る。随分前に作った小澤塾は何のために誰のために存在してきたのか？

「一生は一つの事（例えば指揮）だけするためにあるのではない。見渡せば人生は豊かな恩寵と喜びに満たされているはずだ！」は、僕の信仰かもしれない。

地球のために一番いいことは……

道義65歳

「未来だった今より」二〇一二年四月二十四日

先日大阪で、同い年で旧知の松井孝典という宇宙学者をゲストに招き、対談をはさみながらホルストの組曲「惑星」のコンサートをやった。そこで、学者というのはなんてイカレているんだ！　と思った。なぜって？「自由に生きたくて、自分の時間を人に売りたくなくて学者になった」と言うし、今はどこで仕事をしているのかと聞くと、「昔からどこでもかしこでもいつでもやっている」と言うのだから。

音楽家なんぞも相当自分勝手だし、そんな自由人間の最右翼と思っていたが、どうも学者、特に宇宙という際限のない距離と時間の中に生きる人たちはさらに徹底しているようだ。しかし、他の動物がなしえなかった、彼のいう「人間圏」に地球を取り込んだ存在（＝人類）を考えるということは、人にとって一番根源的な、生きる意味を考えることそのものだ。そんな哲学のような研究を続けながら給料をもらい、実験に大金を使い、答えのない答えを追求する彼の姿に正直、十秒ぐらい嫉妬を感じた。

彼の本の中で一番衝撃的だった数字は「今の割合で人口が増え続けると二千数百年で人間の

に重さが地球より重くなる」ということ。当然そんなことは起こり得ないし、有史以来のように人類はこの先増え続けられないのは明白だ。そんなことを考えると、「地球にやさしく」するとかいう甘っちょろいエコ思考？　なんぞ意味がなく、地球のために一番いいことは「早く死ぬ」ということなんだろう。

でもみなさん！　一緒にしつこく長生きして、面白いことや楽しいモノ全て、欲望いっぱい吸い込んでから死にましょう。

捨てられない

「未来だった今より」　二〇一二年五月二十二日　　道義65歳

あなたは捨てられますか？　古い服でまだ着られるもの、もうきっと読まないけど愛読した本、古い手紙、写真、買い求めたお土産……。もっと言えば記憶以外の過去全てを。

僕は百二十歳まで生きてやれと思う欲張りだが、六十歳を過ぎてちょっと困っていることがある。二十歳ぐらいからお腹まわりが十センチ広がった以外ほとんど体型が変わらないので、ズボン以外は全部四十年前の服でも着られる。母の手編みのセーターはもとより、革靴、流行が合わない背広やシャツも、ネクタイなんか細い時代太い時代、細い時代太い時代と四回ほど入れ替わった。練習で使ういろんな模様のTシャツなど数えてみたら百七十四着もあり、みんな着られる。

幸いにして今は収納のたくさんできる環境に住めている。でも、「捨てる必要がない」というより「何も捨てられない」ので広いマンションに住み、常に家のあちこちで博物館のように記憶を刻印しているのが正解かもしれない。

さて、その捨てられない「記憶」以外の動産や不動産（考えようによってはお荷物）が、震災などですっかりなくなったらどうする？　実は僕は還暦以降もう一度人生を一からやり直せるなら、全て捨ててみたいという欲望に駆られている。

僕は指揮者という服を剥ぎ取った自分を見つけることにエネルギーを注いできた。音楽は演奏している間だけ場所と時間を取るだけで、お荷物が残らない。二百年以上前の作品であっても音楽がホールに満ちるとその時代の空気さえよみがえるほどで、音楽が真に好きな人はそんな時間そのものを聴いて感じているようだ。

過去でもなく未来でもなく常に新しい今を愛して生きよう。

よそ者

「未来だった今より」　二〇一二年六月十二日　　道義65歳

西部劇でなくとも今もある、外から来たものへの排他性。でもそのほとんどは時間が経つと解消される。宗教に絡められ、違いがことさら際立たせられない限り、淘汰されて消え去るか、混在という形で。その時間がどのぐらいかはわからない。

セイタカアワダチソウという黄色い米国産の草の繁殖が一時日本中で騒がれ、今は話題にならない。地中に養分を出すネズミがいなくなったからとか、自分の出す毒に成長が抑制されたとか言われている。逆に今、日本のどこにでもあるイタドリという草が、英国では観賞用として輸入され、家を壊す勢いで伸びて話題になっている。最近、それを食べる昆虫を日本から英国に入れることに決めたそうだ。考え方によっては害虫の輸入だ。

事程左様に世の中は絡み合っているから、政治家は大変。しかし、渚というのは文字通りの海岸であれ、人工衛星が回っている地上四百キロの宇宙との渚であれ、国境など文化の渚であれ、そこは最も面白い所。そこに生きる生き物は、ストレスに打ち勝つ強さと、自己防衛の知恵が要る。

アンサンブル金沢は、長い歴史を持つクラシックの神髄を、北陸という極限的異文化の地で花と咲かせている。指揮者やソリストばかりでなく楽団員も、強い異人さん？ が出たり入ったりするし、ウィーンなどと言わずとも、他と比較して演奏環境も一定ではない。

こんな渚の感覚は実はこの井上道義も五歳から感じていた。「何かが僕の深いものとずれている」と。今でも、ハタと気づくと途方に暮れて、世の中からバイバイしたくなる。

でもこれって、どうやら世界中、自己というものを見つめれば見つめるほど感じる、とっても普通の人間の感覚なんだと知ってから長い。

おんな族

「未来だった今より」二〇一二年六月二十六日　道義65歳

先日、十七歳の時にとても好きだった女の子に電話をした。「贅沢病としか言えないクソジジイの達成感の海で溺死しそうになって藁にもすがる思い。若い頃と今の俺、どう違うか知りたいから話したい」と言ったら、返答はこうだった。「私、女だから記憶はパソコンの上書きみたいで、その頃のことはほとんど憶えていないし、あなたの悩みなんか自分で解決しなさいよ。私は毎朝元気に起き、今日は何をしようかと旦那と話して張り切っているわ――」

女はそういう生き物だととっくに知っているのにまた失敗した。男は抽象の世界に生きていて、女は具象の世界だと言い切ってもいいかもしれない。子を生むことができる生物的条件から か、過去を忘れる、または忘れたことにすることができる。彼女たちは「神」と思えるような姿、優しさ、光、そのものに思えることがある。それこそが、具体的なものを抽象的な「憧れる存在」に高めるという、オトコの勝手な絵空事なのだ。その一度描いた絵を上書きできない設定がオトコ。

僕は四十歳の頃、感じるものや常識感覚が周りと激しく合わなくて気が狂いそうになった。

「俺ってやっぱり日本人じゃないんじゃない?」と母を問い詰めたら、「なぜそれが問題なの? 上手く育ってきたし素晴らしく成功しているじゃない?」と言われ、泣かれた。真実を知りたいだけだったのに、この時も失敗した。母も当然女であって、そんな昔のことが一人の男のアイデンティティーの根幹に関わるなど想像もできなかった。いや、したくなかったようだ。

巨人の原監督の一億円問題。その女性自身は彼のことなどとっくに忘れているに違いない。女が忘れないのは……。

ヨナカの死

「未来だった今より」二〇一三年一月八日　道義66歳

明けましておめでとう。飛花落葉のヨノナカと言われるが、先日、「マヒル」とつがいだったペットのアヒル、「ヨナカ」が突然老衰で死んだ。僕は演奏旅行中でまたもや死に目に会えなかった。

またもやと言うのは、子供の頃に飼っていた黒のミニチュアシープドッグの「チビ」が、僕が閉めるのをサボった門からヒョイと走り出た途端、自動車にぶつけられ、その時は軽く「キャン」と言っただけだったのに、一日経ったら突然ゼイゼイ言い出して目の前でバタンと死んだのを見た以外、昔飼っていた他の犬もアヒルも、父も母も、父の母も母の母も、演奏旅行などでほとんど死に目に会っていない。「これじゃ自分の死に目にも会えない」と軽口をたたく今の僕だが、自分が死ぬというのは悲しいことなのだろうか?

生命は有限だ。家内が溺愛している白い犬「ブランちゃん」は今、十三歳。今も足腰もしっかりして元気だが、あの犬がいなくなったら彼女はどうなっちゃうのか心配。彼女の癒しは僕でなくブランちゃんだから。

指揮したり、作曲したりするのも、人間として生きている証拠を表現したい行為。だがいつかは終わるだろう。この文や演奏の録音などでさえ、いつかは風と共に消えるだろう。

アヒルは庭に埋めてもらった。愛する人も庭に埋めることを許してほしい。我が国の無個性な墓地は嫌いだ。例えばイタリア、ミラノの共同墓地はほんとに楽しい所だ。あそこは人々の一生を想像できる多くの彫像達や小さな家のような墓で野外博物館のようなのだ。いつ消えるかも知れない一生という作品たちだ。音楽作品は演奏で生まれる。去りゆく時と共に、今年も思い切り生きて行こう。

富士の裾野

「未来だった今より」　二〇一三年一月二十九日　　道義66歳

今年の正月は、富士の裾野で愛犬と泊まれるホテルを中心に、妻と過ごした。年末の笹子トンネル事故*は富士山噴火の予兆じゃないかとか、田貫湖に映る逆さ富士は素晴らしいが近くから見ると大崩壊しそうだとか、最近の世相のようにあら探しをしたり、はたまた、以前上空から落っこちてからやめているハンググライダーのさかんな朝霧高原こそ日本一の景色だと言って、高原ミルクで乾杯したり。

でもどうなんだ、我が国は、全国津々浦々に行き渡っているコンサートホールに代表されるように、何でも富士の裾野のように平均値を広げることは大したもんだが、北アルプスの槍ヶ岳が富士より高かったり、いっそマッターホルンのように尖った男性的な岩山が駿河の国に聳えていたりしたら、そんな気風も違っていたのではないかとも想像する。先端技術や尖った芸術にもっと才能が集まって「箱なぞなくても中身で勝負」としのぎを削り、技を持つ者に資本投下することに人々がもっと勇気を持てたのではないかと。

遠くから眺める富士のような立派さ、優美さも、近づけばあらも見えるし問題も山積だ。し

若い頃は飛んでいました

かし人々が、憧れを感じ尊敬を持つ存在に興味本位で近づき、それを自分のレベルに引きずり下ろすことは恥ずかしいこと。

僕もスカトロジー好きのモーツァルト、隣人と上手く付き合えなかったベートーベン、実は手も大きく男らしかったらしいショパン、女好きだったショスタコーヴィチを知り、内心安心したことを思い返した。

山に登り山に近づくことは簡単だが、その高さを持つ存在へ自分を育てなくては！　しかし遠くで見る霊峰富士、それも冬の姿は美しく、いつ見ても感激する自分が横にいるのだワン……。

編注

＊笹子トンネル事故……二〇一二年十二月二日、山梨県大月市笹子町の中央自動車道笹子トンネルで天井板のコンクリートが一三八メートルにわたって崩落し、トンネル内を走行していた車が巻き込まれ九名が亡くなった。

慣れ慣れしい

「未来だった今より」二〇一三年二月十九日　道義66歳

慣れるというのは全てのことに起こるようだ。食物気候言語家飼犬庭飼家鴨学校先生政治体制夫嫁満員電車渋滞平和戦争自分の状態睡眠時間パソコン住めば都、何よりこの井上のしつこい蛇文への慣れ……。

この能力を全ての生き物は持っているが、同時に全ての生き物は違和感というのも持つようだ。楽譜のようにもう一回リピート！𝄇タベモノキコウゲンゴ（略）イノウエノシツコイダブンヘノ違和感！𝄆このコラムの内容も惰性や悪い慣れが感じられるなら潮時だが、みなさんはどう感じているか？

待てよ。慣れは悪いことで、新鮮さや創造性の反対語か？　ならば、多少違和感があるほうが刺激を感じ読む気になるならば、わざとでも新しそうに見せることは大事なのだろうか？

作曲や演奏も同じで、良い作品は繰り返しを上手く利用して人の心に入り込む。しかしそれも多すぎると飽きられ、演奏会でいえば同じ作品でも別の奏者や別の指揮者で聴きたくなり、コンサートの曲目でいえばまだ知らない作品に興味が移る。これってイケナイとされている浮気と同じなのだろう。

またもや、いつもの結論に向かってしまう。一人の人間の中にもいつも相反する部分が同居し、それが闘い、そこからこそ芸術や文化が生まれる。その善悪、明暗、大小、雌雄など、両方の存在を認め許し、その拮抗を肯定し、ややもすると心に芽生える好き嫌いや品定めなどで人を分け隔てせず、媚びず、全ての他者、対象物を自分のどこかの部分に取り入れることができる、「地球そのもののような自分」を発見できたら大きく丸くなれるだろう。

今だった過去

「未来だった今より」　二〇一三年二月二十六日　　道義66歳

このコラムもそろそろやめるべきだと感じ始め、題名「未来だった今」の出発点を記す。どんな人の人生も、どこでいつ誰の子として生まれたか、ということがその後を規定するかもしれない。

明治時代、私の祖父、井上芳麿は、大陸横断鉄道工事の通訳として米国に移住、ネブラスカ州オマハで妻リキとの間に一人息子「正義」を生んだ。一九二〇年代の世界恐慌で仕事のなくなった両親を助けるため、若き正義は、禁酒法、アル・カポネの時代のシカゴで怪しげな仕事をし、そのお金で大学を留年を重ねて卒業したものの、黄色人種差別によりマトモな仕事もなく日本に「帰国」。でも日本語は終生書けなかった。

同じく明治時代、母方の祖父、上仲尚明と妻スエとの間に一人娘「廸子（みちこ）」が生まれた。子供の頃両親に離婚され、終生「英語ができるファザーコンプレックス」を持ってしまった彼女は、一九三八年、銀座資生堂で正義と職場結婚した。

しかし日本は米国と敵対関係になり、米国籍だった正義は今度は日本でも仕事を追われ、廸

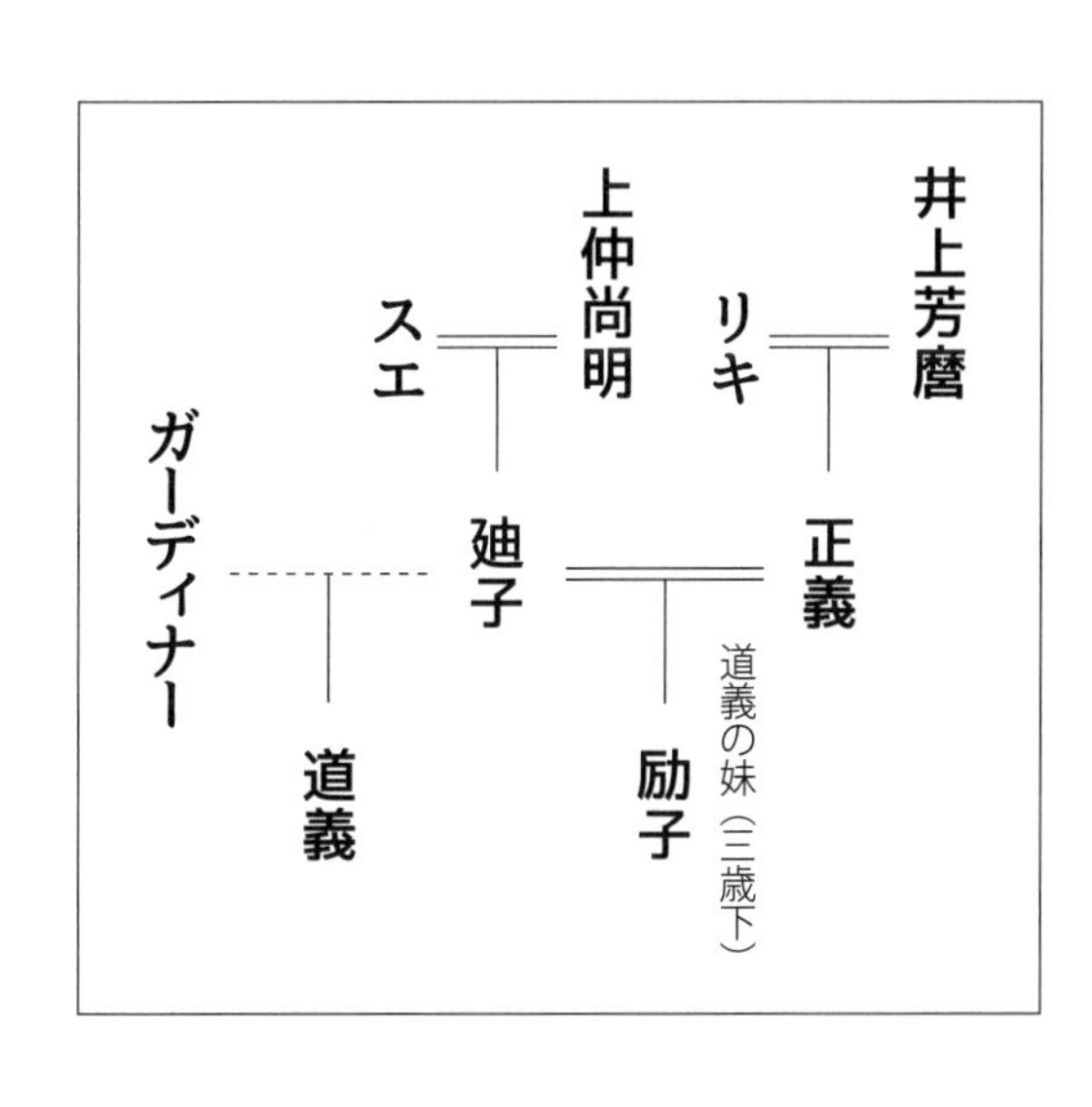

子とフィリピンに転地、現地の呉羽工業、古川拓殖などで働くことになった。そのうえ終戦間際、米軍と現地のレジスタンスに追われジャングルへ逃亡。その三千人のうち、飢餓やマラリアから生き残ったのは五百人。四ヵ月後、終戦をジャングルで迎えた。帰国後、母は安堵感であろう、年下の米軍人ガーディナー中尉との間に長男「道義」を生んだ。

道義の両親はその事実を隠し通し、出生の秘密？　を僕が知ったのは育ての父であった正義の死んだ少し後、道義四十二歳の頃だった。父＝正義は文化的に米国人だったし、僕も人に差別されたことはない。

冷戦を越えて

「未来だった今より」 二〇一三年三月五日　道義66歳

サンクトペテルブルク交響楽団との、ロシアの作品での日本のツアーを金沢から始めるので、四月十四日（日）午後二時、県立音楽堂にぜひ聴きに来てほしい！

思えば十七歳の頃、一九六四年に桐朋学園の恩師齋藤秀雄に連れられての米国演奏旅行で、かの地の経済的豊かさを体験。ロサンゼルスのUCLAでは底抜けに明るい学生たちとも交流、手の先まで真っ黒の黒人との握手の初体験での自分の一瞬のためらい、マンハッタンのホテルでの夜通し絶えることのないポリスのサイレン、を思い出す。

その十年後、二十七歳の時に一人で指揮演奏旅行をした時のソビエト国家の、個人への異常な締め付け、国境の人々の敵対心を含んだ顔の暗さ、そしてラトビアやウクライナに行った時の通訳のうろたえ方から、巨大国家の、建前が不可能な現実を肌で感じた。言語が違う人々を一つの「国」とするのは至難なことであると。一党独裁下のルーマニアや東欧の忍耐強い人々の国で、若い僕の音楽は培われていった。

時は流れ、ショスタコーヴィチという二十世紀最高の交響曲作家の作品群を、あの頃はほと

2007年11月、日比谷にてサンクトペテルブルク響を振る（写真©三浦興一）

んどが男性ばかりだった京響と共に、忍耐強く、その音楽の深さを発見もした。

二〇〇七年、我が国のショスタコーヴィチ演奏の大きなきっかけとなったと断言できる日比谷公会堂での全曲演奏会も経験した僕が、今回は、ＯＥＫではできない第五番やチャイコフスキーのバレエ音楽などを演奏する。

今、ソビエトはなく、東側西側さえなくなり、欧州は曲がりなりにも一つだ。しかし国という組織や民族が闘いを外に向ける図式は変わっていない。それでも、いつの時代でもどこでも、人々の愛する音楽は国境を越えている。僕という存在もそのために生まれたとしか思えない。西でも東でも敵でも味方でもない。

あなたもモーツァルト

「指揮者のぬり絵」一九九三年七月三日　道義46歳

恐ろしいほどの「こだわり」の世界を経験しました。九五年秋に完成する京都コンサートホールの舞台の床材を選ぶために二日間、材質や形状、厚み、木目の向きなどが違う十八種類の木台の上で、音の違いを聴き分ける実験を試みたのです。あそこまでやったのは世界初のこと。こだわりの京響ここにありでした。

でも、やるほうは地獄。はっきりいって差があるのはそのうちの二つぐらいです。聴力が優れている「フリ」をしている僕たちですからなおさらつらかった。しょせん、われわれ音楽家の耳だって普通にしか聴こえないのですから。

さて、先日、京都近代美術館で「ゴーギャンとポン＝タヴァン派」の展覧会をのぞいてきました。あれはおすすめです。

理由①ゴーギャンといえば普通、タヒチの絵しか思い浮かばないが、展覧会では逆にそこに至った過程を見ることができる。

理由②ポン＝タヴァンという誰も知らないような田舎の村が、世界の絵画史の中で大きな役割を持っていることがわかる。「京都という田舎」にいる身としては実に楽しい。

理由③ そして、浮世絵の影響を非常に強く受けているのが、彼ら後期印象主義の画家たちであったということ。そしてこのあたりの時代から抽象絵画が生まれてきたことが、目の当たりにできること――など。

どうも僕らは世界中から完成品ばかり知らされていて、人生をつまらなくしていないか？ 例えば相撲人気は、若貴が少しずつ育っていく過程をテレビで見られなかったら、これほどの人気はなかったでしょう。同じようにコンサートで、ドボルザークの交響曲第九番「新世界」ではなく、彼の第一番の交響曲と出合えたら……。あるいは、ワーグナーであればオペラではなく、何かさえない彼の交響曲、モーツァルトならば四十一番「ジュピター」ではなく、七番とか十三番など……を聴けるチャンスがあったら、クラシックの俗にいう「取っつきにくさ」なんぞ消えてしまう。だってあの天才たちにも駄作や未熟なところがあったり、才能を活かせない部分があったこと、そんなことを知るというのは実に楽しい。そして、その上に何が彼らをして名作を残させたかを知るのは、本当に力づけられる。そう、あなた！ あなたもモーツァルトだ。

生を大切に美しく……

「指揮者のぬり絵」 一九九三年七月二十八日　道義46歳

先日、私のとても大事な友人の森瑤子さんが亡くなった。「これから時々京都に来て書くのよ。それも京都らしい家を手に入れて。井上さんも家を探しておられるならお役に立ちたいわ」と言ってくださって、京都の知人を通して家を探すのを親身になってやってくれたり、素晴らしいお料理屋さんに一緒に行ったり……。あんなに頑丈に見えた人だったのに。

彼女は大学までバイオリンをやり、あきらめ、イギリス人の旦那さんと結婚し、小説を書き出し、子供を三人産み、小説が売れ、人間ドックに行くのも後回しにして仕事をしまくり、五十二歳で亡くなった。

人間は必ず死ぬ。思う存分に生きよう。死はどこにでもある。夜中に一瞬のうちに海にのまれてしまうことだってあるのだ。家の中で転んで死ぬことさえある。知らないうちに……。人生を魅力あるものにするのは、死を知り生を大事にすることから始まる。

昨年、たくさんの「森瑤子全集」が赤い表紙で本屋に並んだ時、森さんを目の前にして、建築家の安藤忠雄さんに少々音楽至上主義めいた話をしたことを思い出した。『全集』は下手をすればじきに粗大ごみになるし、街に建つビルも五十年経てば同じ運命。その点、現在という時間を共有している音楽はごみにはならない」。

バイオリンを生きる糧とするのをやめた森さん、そして京都駅コンペにはずれた安藤さん（私は安藤案に賛成しない）が気にしていた京都。今、京都を魅力のない街にしてしまいつつあるのは、人々が「死」を忘れているからではないだろうか。「本質」を忘れて、愛を、芸術を、食べ物を、環境を、政治を、歌を、クレッシェンドやフォルテ、アレグロやピアニッシモを、アンサンブルを、語っても何にもならない。死があるということを忘れて生きることはつまらない。

当時あった「ポメリー賞」の授賞式にて、同時受賞の森瑤子さんと（1991 年）＊

編注
＊森瑤子著『人生の贈り物』所収「ポメリー賞の帽子」にこの時のエピソードが綴られている。

私の好きな言葉、「美」

「盛和塾」十七号　一九九六年四月　　道義49歳

心も体の一部と考える僕にとって、生きる目標は「美」、これだけだ。美を経験することにつきる。物質も、金も、欲望も、みな、この「美」というものに向かって存在している。そして愛や神も、出現する時は「美」の形をとる。

僕は人の死に際しても、茫然とはするが必ずしも悲しいとは感じない。しかし、例えばその時、亡き人を思って投げかける、生者の側の真実な言葉の持つ美しさには涙が出ることがある。

音楽は生き物の数ほどあるが、それを美しいと思える時は、受け取る自分の側にその準備がある時なのだ。それだからこそ、その「与えられた時間」を大事にしたいのだ。

「生き方」も「つくるもの」も「会う人」も「みるもの」も、みんな美しくあってほしい。そして自分の心や体もそのために磨きたい。

生きる意味は美を享受することにある、と思う。

楽しみと孤独

「ホメオ京都Ⅰ」一九九七年三月　道義50歳

私はしゃべるのが苦手だから音楽をやったとも言えるので、今日こんな場で話すのは怖いのですが、以前鬱になった時お世話になったことのある河合隼雄先生もいらっしゃるし、〝みんな見透かされるのだろうがまあいいや〟というつもりでやります。

心理学的なことをやっている友人によれば七種類の「自己愛人格障害」があるのだそうで、僕にはそれがピタリとあてはまると言うのです。話の枕にそれを言います。一、対人関係における利己性。二、自己の重要性を大きく感じること。三、自分の問題がきわめて重要であり、特別な人にしか理解できないと考えがちである。四、権力、美、愛、成功などへの際限のない夢想。五、特権意識を持つ。六、たえず人の賞賛と注目を求めること。七、共感の欠如。……これがなんで人格障害なんだと思いますが。ここへ来ている人はみんなそうじゃないでしょうか。でなきゃ社長や大学教授なんかやってられない（笑）。

喜びとは少し違う〝楽しみ〟を人と分かちあうことはできるのだろうか。そして、楽しむことと孤独とのバランスは、ということなのですが、結論を先に言うと、人間は楽しみは人と分かちあえない。僕が音楽をやっていていいなと思っても、相手がいいなと思うことはほとんど問題じゃない。僕が面白いと思っていなくてはいけない。とてもきれいなものを見てきれいだと思った時、僕は楽しいと感じる。この場合感動という言葉は使いたくない。感動なんて人生に何度かあればいいと思うけれど、楽しいと思うことは毎日あってほしい。そのために生きていこうと思っている。みなさんもたぶんそうじゃないかと思うんですけど。例えばいい音楽を聴けば楽しいですが、やっている僕も楽しんでいるはずなのです。話がちょっとそれますが、亡くなった武満徹さんは作曲する時、まるで女の人と抱き合うようにして曲を作った。彼にとって音楽はそこに存在している触覚なわけです。

なぜ指揮者になったかと言えば、さっきの病気—自己愛—で目立ちたがり屋だからです。十年間バレエを踊っていたのですが、四十歳を過ぎて王子さまを踊っているのは無理だなと気づいて、指揮なら七十歳になってもやれるだろうと思ったわけです。朝比奈先生もカラヤンも格好いいですし。指揮をするといっても実際に音を出すのは団員であって、団員のかなりの人が喜んでくれたらそれで嬉しいです。観客が喜んでくれるのも嬉しいです。しかしその「嬉しさ」はやはり「独り」なのです。

京都市交響楽団の音楽監督もやっていますので（市のオーケストラなので団長は市長です）年間のプログラムも決めます。団員の技術や各パートのバランスや、ホールの状態を考えますが、でも結局やりたいことをやっています。リクエストコンサートもいいですが、いつも同じような曲になってしまうのです。新世界、ボレロ、シェヘラザード……、そりゃ新世界も運命も名曲だからやりますけれど、そればっかりやってられない。現代音楽も玉石混淆なものだけど、いいものをやっているつもりです。現代音楽は何度も聴いてわかってくるので、今まで一度も聴いたことのない人がわからないのは、しょうがないのです。逆にマニアックな人に現代音楽をやってくれてありがとうと言われても別に嬉しくはない。僕が面白いからやっているので、もう完結しているのです。仕事イコール楽しみ、みたいにやっているのですが、僕が楽しくなくやっていれば、逆に市民のみなさんに失礼だと思うのです。

京響の今年の年間予算は人件費が七億円、それに事業費をプラスして音楽会をやっています。東京のオーケストラは、企業、区、都などからお金を集めてやっています。市民税が使えることはいいのですが、そのための足枷もあります。役人と交渉をしなければならない。今年の九月三日、京都コンサートホールの一周年記念コンサートにコルンゴルト作曲「死の都」というのをやるのですが、役人は「まずいんじゃあないんですか。この街は死んでいるとでもおっしゃるのですか」というようなことを言うんですよ。「死んでいる部分もあるんじゃあないですか」とでも言おうものならとんでもないことになっちゃうんですね。本当はそんなところから音楽は生まれてくるのですけれど。

生きている喜びを感じるには、いろんなことを表現しなければいけない。それには秩序を破らなくてはいけない時もあるし、逆に、いわゆる小さな楽しみを犠牲にして、もっと大きな楽しみをつかまなくてはいけない部分もあるんですよ。市で働く人の中には、自分を捨てても市のために働くことが大切だと思っている人もいるけれど、僕はそれは不健康だと思うのです。「今はそういう流れなのだから逆らうのはよくないし落ち着かない。だからあわせていこう」というのは僕はしない。流れにあわせていこうということで、この前の戦争が起こったのだと思うから。だからといって、他人と付き合いたくない、関係ない、ということではないのです。その距離の取り方を模索して、だから京都で仕事を始めたのです。どこまでが自分を生かすために曲げられないかということをいつも考えています。僕にとっては摩擦をつくることがコミュニケーションのやり方なのです。受け手が怒ったり笑ったりしてくれると、そこから話ができるのですが、上手くいかないこともあります。

京都へ来る前は、新日本フィルの音楽監督をやっていましたが、どうも落ち着きが悪くてやめました。理由は楽団員たちと上手くいかなかったからです。そういうあぶない状態でいつも瀬戸際にいます。自分のことばかり言っていますが、真剣な話なんですよ。何しろ理解されたくてしょうがないという気持ちは常にあるのです。

三島由紀夫さんの文学が好きなんですけれど、あの人もそういう意味で楽しんでいたのじゃないかと思うんです。自分で自分を作り上げる喜びを持ったんじゃないかと。そのうち現実と想像がごっちゃになっていろんな問題が起きたのじゃないか。音楽家で似たような人を探せばグスタフ・マーラーがいます。この人の作品は情報量が多すぎて生前は理解されなかったです。

昨年の十月十二日にコンサートホールで演奏した第八番、千人のシンフォニー、このイベントは成功しましたが、マーラーは自分の楽しみのために千人もの人を使ったのだと思います。この人は妥協をしない人でしょっちゅうけんかをしていました。大作曲家や大文学者と自分をくらべるのはちょっとずるくて、これも自己愛なんでしょうけれど、僕もまあぶつかってもしょうがないかなと思いながらやっています。

僕は指揮者だから当然コミュニケーションをしなければやっていけない。孤独であることは仕方がないが、孤立していてはやっていけない。いくらコミュニケーションをとってもとりきれない時、西洋では神が出てくるのではないかと思います。神を媒介にして人と人とのコミュニケーションをしようと。

今日は自分の話をしましたが、ここで話し合ったからといって、何かが生まれてくる訳ではない。仕事をしなくては生まれてこない。そして仕事は楽しんでやらなくてはいけないと思うのです。

（ホメオ京都　第3回　基調講演　一九九六年二月二十一日）

心の玄関を開ける

「指揮者のぬり絵」　一九九七年九月二十九日　　道義50歳

この夏休みに、私は新しいことを二つ始めました。なんとか始められた、と言うべきかな。一つは作曲。十八歳の時に「俺には才能が足りない！」と決めつけ、作曲の勉強をやめて指揮に専念したことを昨日のように憶えている。正しかったと思う。しかし、音楽を続けていると、どうしても自分で曲を作り作品を残したい欲望が頭をもたげる。男なのに子供を産みたいという感じで。ピアノも初心に戻って弾いている。鈴木理恵子さんのバイオリンとのデュエットでシューベルトを演奏するために。この私でさえ心洗われます、天才の作品というのは！指揮者として一流の楽団を指揮した時の喜びや怖さとはまた違う音楽との直接的な結びつきや、音に対しての新たな態度が生まれたのが、この二つのことをやっての収穫でもありました。

ところで、京都駅が新しくオープンしました。まるで日本の表玄関がそこにあるような、勢いあるスペース。京都と関空が直結の趣。高さのことを問題にされる方もあるようですが、私はおおむね肯定します。太平洋戦争で焼けなかった旧い京都も中京や下京ではもうとっくに消えているようだし、街の中心が祇園や河原町で表現されては京都らしくないとさえ思っていましたから。何といっても、駅の中に劇場があるのが何よりいい。それがジャニーズから出発しても、人間はいつまでもそれで満足しないものだし。劇場という生の仮想空間を通して、自分の内部や、広い世界と対峙していくことは絶対に必要なんだから。

人間とは、いつも心地よいことと美しさを追い求めることにつきるのではないだろうか。我々に心地よく、我々が美しいと感じられる街を、少しずつでも新たに創造していかなくては。まず京都に巣食う過去の栄光におんぶした自信をはぎ取り、新たな現在形の自信を感じさせる建物を造ったように見えるのが、新京都駅、と感じる。

しかし、例えば金閣寺という作品が驚きと共に人々を惹きつけてやまないように、また寂光院が傷ついた心の行き場として長く旅人の心のひだに残るように、今もあるのとは当然違う。今は将軍もいない。皇室も形を変えてしまっている時代なのだ。表現される目標も意味も違うことを正面から見据えたい。

ところで、毎年十二月の「ベートーベン・第九シンフォニー」の前に演奏される、二十四年前から続いている京都市委嘱作品が、今年は休止された（廃止ではない）。京都市芸術振興基金の運用益で実施されてきたが、金利低下で、演奏に使う譜面の写譜料で全て飛んでしまって、作曲料が出せないのだ。だがものは考えようだ。確かに年末の第九との抱き合わせでの、時間も環境も限定されての新作には、私としても市に改善をお願いし続けてきた。「京都にインスピレーションを感じての新作を」というスタンスも、村おこし的で、逆にスケールの小さな作品を生むことになっていたし、ここでしきり直すのは悪くないかもしれない。再開の折には今度こそ新しい京都駅のように「世界につながる」という思想が必要とされる。音楽は人類共通語。「京都の文化」だって、考えてみれば昔からそれぞれの時代の粋を集めたハイテクだったのだ。

玄関を開けることを恐れることはない。いま必要なのは我々一人一人の情報公開、自分自身の行革なんじゃないかな。時代の風に身を任すことはない。しかしその流れを知らないことは「風流」ではないな。

バレエは太く短く?

「音脈」vol.6　2001 summer　道義54歳

バレエが素晴らしい芸術で、その上とてもわかりやすいジャンルだということがやっと普通の人々の中に浸透している。

バレエの歴史あるイギリスでは坊やが「僕はバレエが大好きで踊るんだ」ということを主題とした映画が出るくらいなんだから、日本ではまだまだバレエを踊る男の子は「変人」と思われるのかもしれないが、間違いですよ。今、日本でも、かっこいい男たちが男性舞踊手目指してひしめき始めています。

世の中で、なることが一番大変なのが芸術家、その中でも野球選手ほどの寿命しかないバレエで人生を送ることは想像もできないキビシサだ。ヌレエフだってバリシニコフだって五十歳にもなると、バレエは踊れません。

本当は僕だって踊り手になりたかった（五歳から十八歳まで踊っていました）。今でも昨日のように感じる四十年前十四歳の冬、指揮という、人間がやれる仕事で、かなりじじいになってもできる上、好きな劇や小説をも取り込んでいる「オペラ」というものもできるし、難しいからものすごく努力しないとできないらしいという、僕のように飽きっぽい人間にもぴったりな「仕事」というものがあると知った。幸いにもいい先生が日本にいるらしいという悪魔的幸運があり、バレエを捨てて、今の僕があるのだ。

最近になってやっと踊り手にならなかった自分を許せるようになった。僕が五十を越え、実際踊れない歳になったからかもしれない。

血湧き肉躍るという言葉があるが、実際には、血が騒ぐことは多くても、肉が本当に「踊る」ことは人間そうはないでしょう？　とはいってもお手軽に踊っているように見えるパラパラとかはお祭りの盆踊りのたぐいで今の僕にもできそうなものは逆に興味がわかない。

けれど、明治維新で「和魂洋才」なんていう馬鹿な「魂」を保存したせいで（魂は日本語の中にあるのだから簡単になくなりはしない）、踊りという字がこの日本の伝統的な踊りを指さなくなり、踊り（バレエとかダンスを指す）や音楽（雅楽と詩吟とか常磐津以外の）は女子供がやるものと言われたし、天皇陛下がお亡くなりになった日などには歌舞音曲は遠慮せよとまで言われる始末。最近までそうだった。それは泣きたくても悲しくてもただただ静かにしていようということで、とても非人間的なことなのだ。人間とは表現をする動物なのに！

でも最近やっと世の中を本格的に変化させようという動きがこの国にも出ている。山田耕筰や石井漠が乗り越えられなかったことを、例えば小澤征爾や熊川哲也のような人たちが、野球のイチローたちと同じように、国境を低く感じさせている。小泉首相のような民衆に何らかの夢を見せられる政治家も出てきている。国境は低くなっている。

でも、それと同時に西欧への憧れ、日本には昔からある、天竺のようなものへの希求が、急速に失われている。十万円でアメリカでもヨーロッパでも行ってこれる時代だ。

メジャーリーグだって日本の主力選手は十分活躍できることがハッキリしたし、音楽もそう、バレエだって絵画芸術だって遅かれ早かれ「世界的」になるだろう。

そうなると逆にウィーンでなくとも日本でいいと言う人が出てくるだろうし、バレエにしてもパリやロンドンやキーロフでなくともよくなるはず。例えば私が指揮の仕事であまり世界中ねずみのように動き回らないのも、一つにはどこでだってやれることをやれれば幸福を覚える気質によると思う。不幸や幸福というものは主観だから！

この文をしめるために書いておきたいのはただ一つ、バレエも野球もオペラもシンフォニーも、人の「現在」が全てなのだということ。いつまでも天竺に憧れていると、やっとたどり着いた時、本当のインドはすっかり崩壊していたという過去の教訓を忘れちゃいけない。感動があるかないか、人生それのみが問題なのだ。「今日」はどうか？

二〇〇〇年を迎えるにあたって

「文芸会館友の会ニュース」第二一四号　一九九四年一月一日

道義47歳

二〇〇〇年には全く酷いことに私は五十四歳。さっき十四歳で指揮者になるのを決めたばかりだった気がする。父親に「日本では義務教育は中学までだ。後はお前に教育費を出す必要などない。学校に行くのも仕事をするのも自分でやれ。どうしてもというのなら俺に納得させるだけの材料を持ってこい」と言われた。数ヵ月考え抜き、指揮者というものに挑戦することにしたのだった。その夢が現実となり、夢でなくなったのはもう二十年以上前なのだ。

その後見つめ直したもう一つの夢、立派な温かな家庭を持つことは見果てぬものとなり、生きているエネルギーは、公演ごとに現れ、音楽の世界の美しさに魂を差し出すことにのみ消費されている。「雲の上にしっかりと築かれる城のように」。この生き方こそ本当の意味で享楽主義なんだと思っている。

母親がカトリックなので、子供の頃から教会に出入りし、罪の意識とか人の弱さを直視し続け、自分を含む人々の幸福と不幸の輪舞を見てきた。外国演奏旅行では、環境の違いが与える民俗性、その思想の多様性が身に降りかかってくる。そして、全ての問題よりも強く感じられるのが井上道義の特異な存在の形態。日本においては外見的エイリアンを、ヨーロッパでは内面的エイリアンを意識させられる。アメリカでは溶け込み過ぎてしまう不安に苛まれるこの姿。あの十四歳の時の夢が音楽家のような芸術方面でよかった。芸術でもって初めて本当に人とコミュニケーションできる……ような気がする人格を与えられてこの世に出現してしまったのだから（当然サラリーマンやタクシードライバーをやれる性格ではないわけだし）。

長い青春は、自分を発見し、確認し、表現することに費やされてきた。プライベートな内面の相克と指揮者としての公共性とは、常にせめぎ合い、互いに刺激し合った。ともあれ、私の中で激しく意識させられる自己の多様性は、二〇〇〇年にでもなれば、否応なしに突きつけられる不安の第一になることは目に見えている。例えばグスタフ・マーラーは自分の属していた東欧の小世界から脱皮しようともがき、ユダヤの烙印を捨てる形（キリスト教への改宗）さえ取ろうとした。しかし、彼の芸術の、他人との、また他民族とのコミュニケーションの戸を開ける鍵は、彼の育った小さな環境に関わる万人の共通性だと思われる。

個々の地方が言語をそれぞれに別に話すということが続く限り、芸術の城に入ることのできる鍵は、二〇〇〇年代でも異質性を際立たせるものであり続けるだろう。しかし、鍵を開けて中に入ると、地球全体を宇宙から見るような内容を持つものが普遍性を得て、不滅のものとして人々の家になっていくに違いない。

異質性を受け入れること。これは男と女の間に絶対必要なことでもあるし、愛情の別の名は

「受け入れる」ということと思われる。日本の二〇〇〇年。人々は、受け入れる愛に、価値を見出す年になるだろう。そしてこのような文が誰の目にも留まらずゴミになる東京の異常集中を予想して、京都のオーケストラと歩み始めたということの価値を……？

分をわきまえないチャレンジを！

「分」第二号　二〇〇三年十月一日

道義56歳

まことに、この井上道義にとっての「クラシック」以外の「音楽」は、デザート、つまみ食い、一夜だけの浮気、髪の毛、下着、等と同様に、「有ってもいいけど無くてもいいもの」だ。その理由は、簡単。クラシック音楽や舞台の世界が無いと、生きていけない。実際、なんらかの理由であまり指揮をしなかったり、舞台演出や企画をしなかったり、そうでなくてもコンサートやオペラなどを見なかったり聴かなかったりすることが二週間も続くと、鬱病になりそうになるのだ。きっと子供の頃から常に人前で何かを演奏し、踊り、演じてきたからだろう。そんな時は、家の中の壁に画を書いてみたり、作曲をしてみたり、自伝を書いたりして自分を「不安」から遠ざけようとする。

私は始まったばかりの二十一世紀という時代を、不安の時代、と捉えている。むろん自分自身が生きてきた大部分は二十世紀だが、その中で僕自身の存在への不安はかなり個人的な理由に根ざすものだからここではそれには触れない。でもこれからはきっと九九％の文明社会の人間の誰もがそれぞれに、僕が「音楽」という杖にすがって通り過ぎてきたように、何か「すがるもの」を「発見するように強いられる時代」だと思う。

そんな「不安の時代」、これは意外と難しい時代なのだ。

社会主義が目指した「人間の善意に希望を託した」社会形態の試みは、ソビエトの崩壊と共に終わった。

それより前に、西欧で「人間の弱さ＝罪の意識に根ざした」キリスト教世界が少しずつ築き上げてきていた「絶対神」は、徐々に病気になり、二十世紀にはほとんど死んでいた。

さらにそれより以前に、日本では、肥大化した大家族制度のような氏神的社会形態から、かなり無理やりに作り上げられ、西欧の文明、文化への対抗手段として機能させた、神としての天皇中心の全体主義社会があった。それは江戸時代という、GNPを全く上げることなしに続いた、世界に例の無い天下泰平な二百五十余年の平和を破壊してでも、欧米列国の植民地になることを断固拒否することを選び取っていた社会だった。

その方向は結果的に一九四五年夏に崩壊し、そのあと、追いつけ追い越せという目標や、所得倍増や列島改造などの世俗的なターゲットが設定され、ことごとくやり終えてきた。衣食たりて礼節を知ったのだろうか？　確かにそう言ってもよいと私は考える。日本はある点立派にやるべきことをやったのだ。

しかし少し別な見方をすると、生きるための「ヨリドコロ」になりそうな、公の神や仏や家など、全てが無くなってしまったのだ。

最近よく使われて久しい「癒し」という言葉は、人々が、自分が病気であることを表明しているようなものだ。

イスラム原理主義という宗教を、「愛中心のキリスト教」から、いわば同じ「絶対神」のもう一つの側面から、宗教観の違いによって、「不正な処理を行ったのでシャットアウトします」というパソコンの直訳文的発想のように、信じる人たちを単純に精神病者扱いしたり、また「主義」という語彙自体の誤った使われ方などにもあるように、人々は過多な、それも偏った情報に、自分の「安心」を邪魔されるようになっている（テロは私も許さない）。

例えば私の子供の頃は遊具など与えられなくても自分「達」で遊びを創作していたが、今は子供部屋という個室が与えられると共に、子供が親を通さずに直接情報社会に飲み込まれて久しい。

その便利さが実は、子供と親の関係を揺るがして、家庭という存在の「不安」を逆に増大しているとしか思えない。

わかりやすく表現するために自分を例に取ると、例えば、月刊誌「音楽の友」や「モーストリークラシック」などを読むと、拾い読みしただけでもあふれかえる情報の荒波。誰それが、イタリアの何処そこで、シンガポールの何処そこで、ロンドンの誰が、何とかさんと、珍しい、または珍しくない、失敗や成功、受賞や更迭、ストライキや、何万人の第九や、三大アルトのコンサートが世界最小のホールで行われたりしたこと？　等を「読まされる」と、「オレハ、コノママデハイケナイのか？」という気持ちに陥ることが多い……ので、なるべく読まないことにしている。

そうし続けて十年も経つと、意外と自分が確立された「気持ち」にはなるのだ。が、これでよいか？　時には逆に「不安」になるのだ。例えば、今「ファッション」と言ってもいいピリオド奏法や、オペラの台本の時代の読み替え、はては出版社に踊らされたような「新何々全集による演奏」等も、よっぽど明快な視点とセンスを持ってやらないと、単なるスポーツ新聞の過剰な見出しと同じものにしかならないことが多いことなどは、その最たるものだ。

私自身でいえば、一番心が落ち着くのは、やはり、自分の演奏でも人の演奏でも、真に共感のできる演奏に出会い、心から拍手をし、楽屋で少し忌憚の無い気持ちを披露して帰れる時かもしれない。そう、とても「リアルであること」がいいのだ。

だが、普通、人はそんな表現手段を誰もが持てはしないのも現実だ。

自分を何かに縒り合わせることでしか普通は「安心」できないのが凡人なのだ。

格好をつけてこんなことを書いている井上道義だって、音楽や芸術の神に長年擦り寄ってなんとか自分の居場所を見つける術を学んできたに過ぎないのだ。ましてテレビやインターネットで何かを追いかけたって、そんなに簡単に本当の意味での「個性」や「信心」なんか得られるはずがないのだ。

このようなことを書くと、人は「可愛くない」とか「生意気だ」とか「勝手にしろ、偉そうな！」とか思うだろうが、これが真実でなくて何ゆえ人は一生一心不乱に勉強したりするものか！

人の幸福は努力とは何の関係も無く、知識や資産とも関係が無いと、僕は十代の頃から信じている。幸福を追求することにおいては疑いも無く人は平等なのだ。しかし二十一世紀には、人は、自分のヨリドコロを自分で探し、重箱の端の残されたゴミのような所からやっと自分を他人と識別できる存在として見出す作業を、強いられ続けることになっている。

どんな仕事や遊びであっても、「心」を真に満たすことが一時的にでもできるものは「感動」だ。

お団子がおいしくて「カンドウしちゃう」人は幸いだ。

そのような人たちは、例えばパリのファッションに「追いつく」ことや「所得が倍増する」ことや「列島を改造して便利にする」ことに喜びを感じる幸いな人々の系列なのだ。

私は、クラシック音楽を楽しみながら生きていこうとする人、またヨリドコロとしての「美」や「美化」に自分の一生を捧げていこうとする人が、これからひたひたと世にあふれることを期待している。

一度でも深い感動が身に降りかかると、次からはその感動を守りたくなる。そんな人間の持つ記憶の保守性を含む言葉として「クラシック」があることを知識として知りながら、一人一人誰もが真に新しくあろうとすることを望む自由が与えられ、毎日少しでも前進の気分が味わえ、悦びが不安を少しでも覆い、深く長く心に満たされることを望む人たちが社会の主流になることをひそかに望んでいる。

でも絶対にそれがマジョリティーになることはないという絶望を知識として知っての、あきらめのうちに。

はっきりとリアルに手ごたえがある人生を歩みたい。

指揮？　作曲？　記憶??——メモリーコンクリート

道義58歳

「京都民報」二〇〇五年四月十日

「わかりにくい」ということは、人と人との間、国と国との間でもたくさんの摩擦を生んでしまう。クラシック音楽はそのことによって、軽音楽、ポピュラー音楽と比べてマーケットシェアが極端に低いという現象を生んでいる。

当たり前だけれど、内容のわかりやすさは、芸術にとっては一番大事なことではない（「一義的ではない」と書くとわかり難くなる）し、わかる人にさえ伝わればよいという表現もよくある。

例えば人は誰でも、ちょっとした言葉が通じる人とそうでない人とで相手を振り分けるように。

先月指揮した自作の、オーケストラのための「メモリーコンクリート」はものすごくわかりやすい部分と、かなりわかりやすい部分と、絶対人にわかられては困る部分が混在する作品だといえる。

わかりやすいのは例えば、曲の中の夏虫の音や、タイプライターの音、電車、線路の音。これだって世代や住む場所によってはわからないかも。でも、ちょっと隠された「黒田節」や、ジョッキのぶつかり合う音の意味？　は、「なんなの？」と思うだろう（それは年中酔っ払って家の中を地獄にしながらも全てを与えてくれた亡くなった父親への悔しさと楽しさの思い出デス。と言われればアア装花？　でしょう！）

では、それぞれ他の音はどう書かれたのか？　わかりやすく続けます。

四月十七日

作曲は学生の頃試みたが、進みがあまりにも遅く、いわゆる「天才」は右から左に書くらしいし、食べていくにはどんな世界でもスピードが求められることがわかっていた僕は、すいっとあきらめて、指揮に専念して三十年が過ぎた。

ある時、金閣寺での「音舞台」という企画でどうしても書くことになり、恐る恐るやってみたら意外と書けた。その上、昔の作曲の先生に「君の曲は確かに遅書きだった。けれど面白かった」と言われ、意を強くして書き続けている。

今回の「メモリーコンクリート」は、僕の生まれた時から三十五歳までの間に心に刻み付けられた人々の肖像画を、蒔絵のように描いた形式になっている。

世田谷の新しく建てている家の普請の音、父親が家でタイプライターを打つ音、遠くから聞こえる電車の音、母に連れられての宝塚歌劇のメロディー、幼稚園から一人帰る道すがらとぼとぼ歩く心の中の音などが、一ページ目には聞こえている。

そしてそれらを作曲した時期の「今の夏」、松虫、ヒグラシの虫の音もそこに音楽として入れた。当然どんな子供にとっても、聞こえる音も音楽も初体験、それがベートーベンの名曲であれ、サンバであれ、鉄砲の音であれ、近所の窓から聞こえてくる歌声であれ、それは宝のように貴重な「初めての音の世界」の始まりだ。

四月二十四日

僕の「メモリーコンクリート」という曲は、そんな幼児の頃の音の記憶から始まる。そして小学校の校歌と、九歳の頃大好きだった女の子への気持ちが溶け合ってできた甘い部分があり、習っていたバレエのレッスンの音楽、そして指揮を始めた音楽高校の頃の初恋の女性が弾き続けていたショパンが、舞台の外からスローテンポで聞こえてくる……。同時に竜巻のように強い自我が生まれ、耳もつんざくばかりのワルツが、酔っ払いだった父を表す黒田節とごった煮になり、舞台は安っぽい具体的な表現と、剣を持って突き進むような若いエネルギーをはらんだ、後期ロマン派の暗く深い響きとがぶつかる、危険な表現を見せる。

そのあたりには、現実に演奏するオーケストラ奏者には、ふざけてよいのか真面目に取り組まねばならないのかわからなくさせる仕掛けが隠されている。ただの音と音楽との差異をどこかで振り分けようとする人間にとって、避けては通れない部分かもしれない。

曲はその後、ありとあらゆる手法を巻き込みながらひどく孤独に進む。指揮者の生活そのもののように。

何かを創造する決意のある人間は、多くの出会いを褪せることのない記憶の中に磔にし、常に新しく反芻する。

僕の京響での短い八年間*の生活の記憶も今、美しい現実として存在している。

編注
*一九九〇年四月〜一九九八年三月まで、京都市交響楽団音楽監督・常任指揮者を務めた。

追悼　まひる

「道義より」　二〇一五年六月二十九日　道義68歳

「自宅にアヒルを飼っている」とプロフィールの最後に載せるようになって数年が経ったが、それは僕が音楽家で指揮者である前に、ただの人間であるという表現をしたかったから。アヒルを飼っているということだけで、いろんな広がりが想像されると思うからだった。僕が旅をする時にはその面倒を見る人がいるだろうということも含まれるだろうし。

その「まひる」、もう婆さんだったが、今朝亡くなったので、そこにそう書けなくなる。ヨナカ＝雄のアヒルは、三年前に亡くなっている。

特にまひるは、数回にわたって「ピーターと狼」の最後に登場、演奏の記憶をほのぼのとした喝采で終わらせてくれ、時には自ら舞台下手までの退場さえ演じた。

彼らは東京・渋谷で、アヒルにとってありえないほど良い環境に恵まれ、目の前に横断歩道がある庭の垣根は、そのために刈られた子供目線の低い隙間からの子供たちの呼び声で常に満たされていた。身繕いにいそしみ、小さなプールで好きなだけ泳ぎ、庭のミミズを探す毎日だった。彼らの飼料のおこぼれを狙う雀などとも共存していた。

ある日現れたネズミにはさすがに道義も一瞬敵意を抱き、叩き潰そうと棒を持ち出した。しかしそいつはしっかりした奴で、僕と目が合ってしまった。その時のまるで「トムとジェリー」のネズミのような睫毛の中に見た眼は、僕のあだ名が「ミッキー」であることを思わせ、振り上げた棒を下ろしたことがあった。その後、チビミッキーは現れなかった。

まひるは埋葬された。

僕はまだだ。まだまだか。まだひるまか？

まひると共演、楽屋にて（写真提供：オーケストラ・アンサンブル金沢）

欲望≠希望

「日本芸術文化振興会ニュース」二〇一七年四月号　道義70歳

先日ある会合で、突然みんなが真面目になって、「日本の伝統文化を文化庁予算とかを使って残す意味って本当にあるのかね？」と口にした。その日はいわゆる「クラシック音楽の話」をした後だったから、僕も、「伝統文化って着物みたいなもので、タンスにしまってあればよいほう、という扱いかな？　無くても困らないのでは」と言ってみたが、その後、議論が渦巻いた。人間本当に必要なのは健康ぐらいだから。心の自由があるならば伝統文化とか音楽とかは無くても人は生きていける。ただ、人間はそういうものが欲しいと思うところで動物との違いがある。

多くの国が、伝統的国民的アートや民俗芸能には十分な予算をかけて保護をするようだ。西欧の文化から世界に広まった古典＝クラシック、さらに近代現代芸術も、絵画や彫刻のように個人でやるものと違い、多くの人間を必要とするオペラやコンサートなどの再現芸術には、当然のように税金が投入される。これが明治維新以後、ダブルスタンダートな文化の中にいる日本ではいまだに難しい。我が国では太古から、花代、ご祝儀、生徒からの月謝、という名で収入を得て生き延びてきた、ほとんどの「芸能」、たしなみの延長の俳句や日舞、茶の湯を高めた茶道、教育を高めた書道、死が隣り合わせの武士が彼の世を友人として嗜んだお能、民衆の劇場であった歌舞伎。時には「歌舞音曲」と軽く呼ばれる日本の伝統芸術は、現代人には本当に必要なのだろうか？

僕自身は今まで、無知な自分を認めたくないからか、なるべく知らない世界にも頭を突っ込もうと常に試みてきた。しかし世界はあまりに広く、どこまで行っても自分が何も知らないことに気づくばかり……。死を予感させる病を経験しても正直なところ何も変わらず、解脱なんかできない。情報が平等化された世界の中、平らな、紙っぺらのように広げられた感のある今、僕も、感動に満ちた「芸術」の価値とは？　本当に必要なものは？　と、薄っぺらな「スマホ」で調べたくなったりしてしまう。

でも若い頃から知っている……、問題なのはここまで書いてきた献立側でなく、食欲の方なのだ。井上とて、とっくに死んだショスタコーヴィチやモーツァルトや武満など、反論のできない死者と話を交わし、また、幽玄能で井戸の中の死んだ女の愛を想い、偽の父親へのオマージュ劇場作品を書き進めるありさま。そんな「欲」がある限り、人は生きる価値を持つ。他者からの献立による価値観ではなく、一人一人の、生きたい、食べたいという、希望にだけ、価値がある！

道義70歳

「道義より」二〇一七年十二月九日

爺が爺さん

世の中の評価のバロメーターとして、「世界的何々、世界の何々」という勲章のような修辞をよく見かけるこの世界……、だが、僕はもう随分前からそれに強い違和感を持って生きている。

世界的な人の隠した嘘、有名という邪魔くさい甲冑を着ての人生の息苦しさ、マッターホルンの頂上のような狭い場所取りのための、子供っぽい努力……。そんな一瞬の「世界」は、毎日寝ながら見る夢の中の雲上の城と一つも違わない。名だたる名作だって、演奏という行為の間だけこの世界に……存在して………。

カルロス・クライバーは七十歳ほどで指揮をやめた。齋藤秀雄も渡邉暁雄もその頃、命を終えた。

僕は一生があっという間で短いとは、全く感じない。

今までものすごく多くの事件と、めちゃくちゃ面白い経験と、ほんのちょっとの努力に、彩られ、甘く、味のある人々の中で、宇宙のようにバランスの取れた人生を描いてきた、と、自画自賛!!　そう!!　これ、まるでみんなが「スマホ」で「ブログ」にその日の食べ物を「アップ」したりする行為に似ていて……恥ずかしいのだけど。爺が爺さん！

II

音楽の道

シンフォニーの底に流れる歌――演奏家のみたシューベルト

「音楽現代」一九七七年四月号　道義30歳

一人の天才にも、そうではない人間の中にも、多くの可能性が隠れています。特にそれをやっと発見した頃、発見したばかりの道を手探りで歩む頃、すなわち若い時代そのただ中にある者にとっては、それは暗い迷路、混乱と悩み、自己不信という地獄と、全てが自己に幸福を恵んでくれるような勝利の錯覚を伴う、天国の征服という命をすりへらす旅の連続でしかない。でもそれらは何故、他の世代や、既にそれを越えた人々から、懐かしさや爽やかさや憧れをもって見られるのだろう。失敗だらけの時代が何故最も美しい時代なのだろう。

また、どんな天才的な能力を持つ人間の前にも、そんな才能を右へも左へも知らない間に運んでしまう人類の歩みの中の、大きな時代の流れがあります。環境が人をつくるのか、人が環境をつくるのかは見方によるでしょうが、私などは人間のつくり得るものの限界を意識する東洋的思想を持っていると思います。

シューベルトは実に多くの歌曲を作りました。十四歳の時から亡くなる三十一歳まで（私はいま三十歳。あと一年で死んでしまうというのは恐ろしいことだ）なんと六百曲余り、それに九曲のシンフォニー、室内楽曲、ピアノ曲千曲以上、さらに不成功のオペラ数曲、合唱のための音楽、恐ろしいほどの数！　たしかにバッハは千曲以上作曲しているし、ハイドンも百曲以上シンフォニーを作ったりしており、多作という点では他にいくらもすごい人々は存在するだろうが、それらと違って、ちょっと考えても十七年間毎週一曲は作っている。二十歳あたりはすごい。二日に一曲の割合だ。こんな具合ではテレーゼ（シューベルトの初恋相手）も、教授の職も、物質的欲望も、入る暇はありはしません。このように自分で作り出したのか、環境がゆるしたのか（現に今の日本でこういう人がいたら、やれ落第だ、やれしっかりした仕事をしろとか、「世間」のうるささにたたかれるか変人扱いされるかという「異常」さです）、とにかくシューベルトはそんな生活をする人だったのです。こういうところがヨーロッパの存在する意味があるところで、ベートーベンが「ナポレオンめ皇帝になったたって!?　なんたる裏切りと堕落！　ビリビリ」とエロイカの表紙を破り捨てたり、「人類よ共に手をとって歌おう」と第九で大さわぎしているすぐ横で、同じシラーの詩の中から、全く個人にしか関わらない歌を作っている人がいるわけだから。そしてここが強く言いたいところだが、シューベルト自身、自分の才能を知っていてこういう道を歩んだとしか思われないのだ。

数多くの友人仲間の小さなコンサートや、その頃多く生まれていたロマン派の詩を使っての歌や合唱、そしてその延長のピアノ曲等に比べて、シンフォニーには随分と別の世界がある。「未完成」と「ザ・グレイト」を別として、シューベルトのシンフォニーには、彼が死ぬ一ヵ月前にも墓参りをするほどだったハイドンの影響が強く感じられる。それは全く自然なことであって、交響曲は器楽、器楽のハイドンというのは正しい見方です。しかしシューベルトは歌の人間です。彼のような天才だって、その確固たる伝統を打ち破って、シンフォニーに歌の要素を入れるのは難しかったに違いない。僕は「未完成」にその初めての可能性を見る。しかし「ザ・グレイト」を別として、それまでのシンフォニーは何なのだろうか?

単純に考えてみて、芸術は民衆に近づけば近づくほど、抽象性と普遍性を失いやすく、言語と踊りに近づいてくる傾向を持つ。

逆に言えば芸術は、土俗の中から生まれたものが、洗練されるにしたがって、高められると同時に民衆から離れたという過去の歴史がある。不思議なことに、その後にまたそれが還元されるのだが、かなり時間がかかるようだ。

シューベルトの時代は、ナポレオンの後の民主主義の民衆中心文化の出来立ての時代だ。そこで彼は貴族に助力を得ることなく(別に貴族が助けなくても不思議でない。シューベルトは助けてもらう気がなく——後年ウェーバーのオペラについての正直すぎる批評を、その頃の音楽界のボスである作曲者にしたため、すっかり気まずくなるというどこかでよく起こるようなこともあるほどの曲者でもあったようで——貴族のほうで助力したくなった頃にはもう死んでいたというほどの若死にです)、友人仲間の社会を中心に芸術活動をしたのだから、シンフォニーは彼の活動の中心であるわけがないのです。いきおい彼のシンフォニーは、それまでの古い器に盛られた新しい精神というところがあります。とはいえ彼自身の若さと、俗世間を忘れているようなその生き方が醸し出す音楽は、我々になんともすがすがしい美しさを味わわせてくれます。二番や五番はそれが比類なく表れた傑作です（ちなみに名曲とよばれなくてかまわないです。先月号の尾高忠明君の〝名曲の定義ってなんだ〟に答えれば、「名曲とは踏んでも蹴ってもこわれない作品」といえるでしょう）。

演奏する側から見れば、二番や三番などはかなりやっかいですが、音楽を愛する演奏家たちと響きのよい小さなホールに恵まれれば、飛びあがりたくなるほどきれいな、若いすがすがしさにあふれる曲として現れます。この曲を初めて聴いたのはウィーンのムジークフェラインザールで、ベームが振っていました。ベームという大指揮者の最も素晴らしい部分は、テンポです。実に無理なくオーケストラが音楽しやすくつくります。当たり前のことですがそれは指揮者の第一の使命です。ただある時八本のコントラバスでガサゴソとモーツァルトを演奏したのを聴いたりすると（ウィーン・フィルではなかったが）、全く嫌味しか残りませんでした。実際カラヤンにしろクレンペラーにしろ「偉大な」指揮者は、自分のオーケストラとお互いの欠点を補いあう関係、あるいは長所をもっと伸ばす幸運な関係にあるようで、お互い、本当に大人の関係なのですね。このような組み合わせのあつまり、さらにホールも人々のぬくもりが感じられるほどの大きさで、奏する側と聴く側とのコミュニケーションの断絶がないところで、やっと心に安らぎある音楽は力を持ってうったえてくるのかもしれません。

三番も二番と同じように大好きな曲ですが、何故かあまり演奏されません。世には何故演奏されるのかわからない曲も多いのに不思議です。

四番は「悲劇的」と名の付く、短調で始まるかなり重苦しいムードの曲になっています。ハイドン的なところが非常に強いメリハリのある曲です。

五番は、僕が学生時代に尾高君と二楽章ずつ受け持って初めてオーケストラを振った思い出もある可愛い曲です。

六番は、なんとも魅力的な二楽章は後の九番に続くように感じられ、歌は常に歌われる。三楽章はビゼーのシンフォニーを思い起こさせ、四楽章は音が踊って飛んでいるような気がします。

これまでのシンフォニーはシューベルトが二十歳になるまでに作曲したものです。ベートーベンの初期のピアノ曲、協奏曲、シンフォニー等にはもちろんベートーベンの個性は充分含まれていても、随分モーツァルト風に聞こえるのですから、シューベルトにしてもそういう影響が強いのは当然です。でも本物と偽物との違いは、どれほど早くまねごとから抜け出すかにかかっているといえるでしょう。シューベルトも、ヨーロッパ音楽の一番重要な位置にあったシンフォニーに、彼の個性を完全に見出したのは第八番（現在は七番とされる）と九番（現在は八番とされる）でしょう。八番が未完成に終わったとするのは、世の中のロマンティックな人、もしくはシンフォニーは四楽章あるべきだと思う石頭か、どっちにしろそれは他人がつけた名で、私の調べたところ、また音楽から受ける印象では、「未完成」という理由はないように思われます。このシンフォニーを作っても誰も演奏してくれないことを知っていても、もし必要とあらば彼はなんとしても仕上げただろうし、そういいかげんな人間ではなかった。

一楽章のテンポ、弦の静かなきざみ、歌そのものの第二主題、その前のホルンの沈むような響き、二楽章の天よりのコラールを思わせるようなオルガン的な管楽器の響き、いつはてるともない終わりの部分などは、半世紀後のブルックナーに通じるものだし、この二つの楽章は、地と天、もしくは内なる闇と内なる光として、二元的に完結して存在させていると思える。シューベルトはここで、自分の個性をすっかりオーケストラに流し込んでいる。

でもそれほど八番が特別な存在ならば、それまでの交響曲は習作なのでしょうか？　とてもそうは言えません。それまでのシンフォニーには歌曲にはない健康な喜びがいっぱいつまっていて、近くの森へ散歩して飛び跳ねているようなすがすがしさは、他の作曲家からは得がたい音楽です（ヨーロッパにはその頃とちっともかわらない森や川が計画的に残されていて、二十年前の林の様相ひとつ残らない世界一の大都市に住む我々と、なんと豊かさの意味が違うことだろう！）

そこには自分を引っ張り回してくれる刺激や、死ぬほどの孤独や戦いも身をひそめている。そこにあるのは息をして生きていられることへの喜び。このような根源的な喜びを確かめられる芸術を愛さないでいられますか？　彼はひどく孤独だったに違いない。数々の歌曲を聴いてください。胸が涙でいっぱいになります。そこには後期ロマン派の音楽で覚えるような疲労はありません。名誉や権力への欲など一点も感じられません。シューベルトは自分の才能を知り、その自由と喜びの中で悩み、悲しみ、生きたのです。その肯定的な面が管弦楽作品に豊かに表れています。

天才によって、音楽の可能性は間違いなく正しい方向へひらかれたのです。シューベルトによって切り開かれた歌曲はシューマン、ブラームス、マーラー、ヴォルフ、R・シュトラウスへと開花していったのです。それらの実が、完成してしまっていた交響曲に、無限の可能性を与えてくれたのです。彼自身、その頃需要の多かったオペラや先生稼業に進んでいたらどうなっていたか？

第九番「ザ・グレイト」は第八番の後、シューベルトは、ろくに演奏されない交響曲を書くことがいやになったのか、前記のような態度での交響曲の作曲ができないほど暗い時代だったのか、私が正気で語るのさえ難しいこの大作を生んでいる。ここでシューベルトは、彼の弱点と思われる冗長さと主題発展の弱さを逆手にとったように、ロマン的な時間の飛行を実現している。その長さは汲めども尽くせぬ泉のように、主題は永遠に続く愛のように、足取りも悠然と、その音の流れに身をまかせ、生きる喜びを深く吸い取るように味わい、そして至福がいつか終わりをとげるまで全てを忘れていたい。

彼は我々に、本当の豊かさはパリにもロンドンにも絶海の孤島にも街にも田舎にも富にもなく、人の心の想像力の中にこそ存在することを教えてくれる。

もし「第九」が……

「DA・I・KU」一九九〇年十一月　道義43歳

歴史に「もし」を考えるのは邪道であるけれど、僕はどんな作品に対する時にも、頭の隅に「もし」を置く。「名曲」「名作」と言われるものも、「もし」かして誰かがそう言ったのでみんなでそう信じてしまっただけではないか、と（もちろん逆のこともあるでしょうが）。単に素直でないわけではない。人は、何人（なんぴと）かに「人生の舵を動かされ」、「感動」したりする。その気持ちや記憶をそのつど新たに信じたい。けれども、なぜそう感じてしまったのかと問う負の誘惑もある。

もし「第九」をベートーベンが作らなかったら？　もし合唱のない交響曲だったり、もっと歌の部分が難しかったり、やさしすぎたりしたら？　いやちょっとだけ旋律が違ったら？　そう考えるとまるで地球上のバランスに感動するように、ベートーベンはなんと素晴らしい音の宝物を無数の音の中から選びとってくれたのかと、かえって心が高まってしまう。

もうひと押ししてみよう。「もし」「第九」が存在しなければ、ベルリンの壁が壊された時、人はいったい何を口ずさんだらよかったのか。理想主義が「第九」であのようなかたちを示してくれなかったら、「もし」かするとECの存在もずうっと遅れたかもしれない。そんなことさえ思わせる、すごい存在感のある作品なのだ。

人が、音楽家が、平和を願うことはたやすい。しかし現実の中で身を挺してそのために戦うこと、または戦わないことは困難なことだ。音楽家はまず、音楽で平和を願わねばならないが、その人の器が小さければただのひとり言にしかならない。それに作品としての「調和」と現実世界での「平和」は、多くの人々にとっては今も無関係でさえある。また「神」の存在を示唆して平和の訪れを願っても、その「神」が普遍的なものではなかったのだから。

そう、でも、ベートーベンはフランス革命後のナポレオンの皇帝位に対して「エロイカ」の表紙を破り（もちろん表紙だけです）はしたけれど、今から二百年前に起こり始め、そして今も劇的に進行しているひとつの価値観、すなわち人類愛という普遍的な意識に卓出した音楽を「第九」で初めて書いたのだ。

指揮者の目からはそれは、演奏者誰一人として取り残された気持ちにされないヒューマニスティックな管弦楽の使い方、世界中の人に通じるメッセージとしてのシラーの詩、そして一、二、三楽章と孤高を保つ音楽を、ベートーベン自ら引きずり下ろしてからの、曲の再構築のアイデア等、文字通りの音楽の理想が証言される。

ベートーベンは他の多くの曲で十分に「ベートーベン」なので、「もし」「第九」を彼が書かなかったらすっかり違ってしまったのはきっと我々の側なのだろう。

ロジェストヴェンスキーから聞いた話

「指揮者のぬり絵」一九九三年十一月二日　道義46歳

一昨日、ロシア最高の指揮者ロジェストヴェンスキー氏が、スターリン時代の粛清の話、特にショスタコーヴィチへの現実的な圧力の話を中心に、非常に恐ろしく興味深い話をしてくれた。第四交響曲が初演前の練習で「ボツ」になり（一九三六年）、その後二十五年演奏されなかった話だ。

ショスタコーヴィチはトハチェフスキー将軍というとても音楽が好きだった人にかわいがられていたのだが（三十歳の頃）、この人は「すぐれもの」だったので、スターリンは殺した。そして、ショスタコーヴィチはＫＧＢに呼ばれた。

「お前はトハチェフスキーとスターリンのことを話しただろう」

「いいえ、一度も」

「彼と友人だろう」

「……」

「まあよい。三日やるからよーく考えてこい」

そして三日後、ショスタコーヴィチは覚悟して、石鹸、タオルを持ってKGBのドアを叩き、

「係の○○さんに会いに来ました」

すると門番は告げた。

「その人なら昨日銃殺されました」

その頃作曲した交響曲こそ、第四番だった。二十五年間演奏されることがなかったのは、生命と引き換えにしてその作品を引っ込めた、というのが真相です。

真実のシンフォニー

「指揮者のぬり絵」一九九四年五月二十一日　道義47歳

五月の定期演奏会で演奏するショスタコーヴィチの「バービィ・ヤール」という交響曲は、社会と個人、差別と芸術など、いろいろな問題を考えさせられる実に興味深いものだ。そこで歌われるのは（ロシア語ですが）、キエフ郊外のバービィ・ヤール谷で起きた、ナチスによるユダヤ人三万人以上といわれる大虐殺事件。単なる悲劇へのレクイエムでなく、虐殺を黙認したともいわれる旧ソ連政権への辛口でしかもユーモアにあふれた真実のシンフォニーだ。

あの作品を一九六二年のソ連で演奏するということは相当な勇気がいったはずだ。今の日本に置き換えると、筒井康隆氏が断筆宣言せずに書き下ろした人間の滑稽な真実の姿を、武満徹や三善晃、黛敏郎、もちろん坂本龍一でもいい、日本を代表する作曲家がオペラやカンタータとしてテレビで放送するようなものだ。

人の心の中には少なからず差別や悪意、殺意やすけべな感情がある。ただし、同じ言葉でも人によっては暴力になったり、傷つけられたりする結果があることは認めなければならない。だが、それを発言したり書きとどめる自由を法律で決して禁止してはいけないことも、私たちは知らねばならない。

グレゴリオせいか　とわずがたり

「礼拝と音楽」一九九六年五月号　　道義49歳

今回グレゴリオ聖歌について僕に文を書かせようというのは、僕が一応カトリック信者で（心のどこかでと言えるだけだけれど）、その上音楽家、それもクラシック音楽が九五％以上をしめる生活に囲まれているわけだから、ここにかなり専門的な文を書けると思ったのかな？　そうだとしたら間違いです。もし僕がそのようなことを試みようとしたら、神は二十五年ぶりに僕をConfessionの席に向かわせるでしょう。そこで今回、ここで書こうと思っているのは、いいえ、書くことができるのは、全くのアマチュア音楽家「いのうえみちよし」としての他愛のない文です。ただそれを通して試みたいのは、壁・かべ・Kabeすなわち人と人との関係、上と下や、隣人と自分とか、対象と自我、死せるものと生きているらしいものとの境目の、緊張関係を少し取り去りたいという試みです（指揮者らしく大げさです）。

むかし僕が高校生の時、もちろん桐朋学園音楽科でのことだけれど、たしか音楽史の時間に、ある先生が突然——今考えれば当ったり前の行為だけれど、その時は全くびっくりした——やれネウマ（グレゴリオ聖歌の記譜に用いられる記号）だの、音節や旋法だのメリスマ（歌詞の一音節に複数の音符を当てて歌う様式）だのの話をしていたのに、「それでは俺が歌うから、まあ聞いてよ、いいな」とグレゴリオ聖歌を一人で、アカペラで歌ったのだ……いえ、歌ってくれたのでした。それまでのその先生の優柔不断な印象はその時間以降一八〇度変わり、生徒達すなわち僕なんかも人生相談さえしに行ってしまうほど、人気者になったのです。

桐朋は音楽学校ではあったのですが、実技の時間以外で音楽が本質的なパワーを見せたことはあの時と、もう一つの特別な思い出である校内文化祭での事件以外、僕の記憶の引き出しには残っていない。

そんなことがあったため、それ以後「グレゴリオ聖歌」は、日曜日の朝の指揮のレッスン（毎日曜日に齋藤秀雄先生の教室が休みなしにあったのです）の前に通った成城教会のとんでもなく下手な聖歌の中に混在したりするのがとっても軽薄に感じたり、恥ずかしく感じたりさえするほど、大事な存在になっていたのです。

しかし、その後何年もの勉強や、いろいろな作品の演奏を通じて、ラテン語がある程度（ある程度ですよ!!）わかるようになってくると、それがヨーロッパの言葉を組み立てているおもとだとわかりだしてくる。勿論オペラの中心であるイタリア語は特にラテン語を強く残しているから、イタリアとスパゲッティとの関係と同じくらい、宗教曲の中のラテン語の意味に、また引用として多くの管弦楽作品に見出されるグレゴリオ聖歌の旋律の持つ意味に、知的好奇心を燃やすことにもなりました。それなのに、いま五十歳になっても、人にグレゴリオ聖歌のことを知的に体系的に話したりできないことが、僕に能力の限界をつきつける。

でも、もう一度あのクラスでの思い出に戻らせてほしい。

音楽は、語られてもよい。しかしそれはとっても退屈ではないですか。信仰というものも実はそれと同じものである、と僕は信じているのです。

僕には、神も音楽を通して現れることが多い。

グレゴリオ聖歌があの日、なんでもない授業で、一人の声を借りて、歌として初めて本当の姿を傲然と目の前に現したように。

メロディーとは何か

「指揮者のぬり絵」一九九六年十一月十三日　道義49歳

「2001年宇宙の旅」（スタンリー・キューブリック監督）という映画が、スケールの大きな新しいSFの世界を切り開いたのは、もう二十五年以上も前になる。現実にはまだ宇宙旅行できる時代ではないが、かなり遠い未来まで、宇宙の旅はスキューバ・ダイビング並みの不自由で窮屈なものだろう。いま人類に残された一番の旅は、心の内面への旅、芸術に触発され、自分の心の深奥に向かう旅じゃないのかな。

ところで、その映画のテーマ曲として印象的だったのはR・シュトラウスの交響詩「ツァラトゥストラはかく語りき」の冒頭部分。オルガンの低音に管楽器のファンファーレが重なり、大きな音の伽藍が出現する。京響の十一月定期では、この曲を演奏します。コンサートホールの大オルガンの魅力と、大編成の曲ではこのところ一流と言えそうな力を発揮するようになった京響に、乞うご期待！

同時に現存の作曲家クルターグ（ハンガリー）とクセナキス（ギリシャ）の名曲も取り上げます。二曲ともピアノが活躍しますが、ピアノは京都生まれ、京都大中退の天才・巨漢ピアニストの大井浩明。ぜひ聴いてみてください。

さらにウェーベルンの名曲「管弦楽のための六つの小品」も演奏します。ウェーベルンは、現代音楽が「メロディーがない」と言われ、人々に嫌われる原因をつくった作曲家の最右翼。

でも、「メロディー」って何でしょうか。

色あいやリズム、ハーモニーは美術にもあるし、建築や舞踊にもある。でもメロディーにあたるものは？

現実に見て触れるものの表面、表面の輪郭がそれかな。建物なら空に囲まれた屋根のラインかな？

京都のスカイラインは、今では普通の日本の街のスカイラインになってしまったが、こういうのを音楽のように「メロディーが失われた」と言っていいのだろう。

でも、例えばアメリカのシカゴの高層ビル群の美しいスカイラインは、現代建築のよい例。あの街はアル・カポネらのギャング・シティだったが、六十年後の今はまるで美術館にいるような（保守的だけど）素敵な街になった。建物も高低のあることだけが悪ではないのは、現代音楽も同じと言いたい。

京都で高層ビルに反対している人も多いが、問題は「跳躍」の幅の問題ではなく、そこに表現される「美観」の問題だろう。高さだけを抑えた結果、逆にほどほどの高さの、つまらない建物がいま京都を自家中毒にしつつある、と思う。

「新しいよいもの」が何かを知ることは未来を知ることに等しく、「過去のよいもの」を知った上でなお「新しいもの」にチャレンジすることは、大きな勇気と並みはずれた才能が必要だ。ヨーロッパ中心の文化が世界を動かしてきたが、今時代は座標軸をアジアに移している。君は宇宙のどこに位置しているのか？　あなたはどこで、なぜ生きているのか？　なぜ、コンサートを聴きに来るのか。「聴く」時に、単に「メロディー」を追うだけ？

「能」へのアプローチ

「第四十七回　京都薪能」一九九六年六月　道義49歳

「能」は本当に素晴らしいと思っています。名人によって日常的な現実が全て吹っ飛び、時空を超えて、真実な美と真実な時間が出現する魔法が起こることがあるからです。

勿論それには受け取る側の器、すなわち心と頭の準備が必要かもしれません。ただこのようなことは僕が日々追い求め、生きる理由にさえなっている「音楽」（クラシック音楽と呼んでおきます）と同じです。

オペラやシンフォニーにも同じことが言えて、受け手の側に全く準備がない場合、「さっぱりわからない！」ということになります。

でも薪能は嫌いです。

何故なら、ジャリの上を人々が歩く音がとっても邪魔だからです。また最近は特に人がたくさん来るので演者との距離が遠くなりすぎ、ただでさえ面に隠された、いえ隠した表情を、身体の小さな動きや角度で表すのが能であるのに、見づらい結果になることも問題です。そして、場合によっては、下手なＰＡ技術で音と声のバランスを壊されてしまうことさえあるのが嫌なのです。

ただ、能楽堂で観るのも嫌いです。

何故なら、最近のそれは、ビルの中に屋根付きの舞台があるという具合で、カンヅメの中、あまりに「形式」という枠を強く感じてしまう空間であるので。……なんて憎まれ口をたたく私です。

ところでどうなんでしょう？　薪能でなくビルの中の舞台でもなく、日本を舞台に古い日本の衣装でするのでなく、伝統楽器のみでない「能」というのを観たいという私の欲求は、つまらなく、くだらないものなんでしょうかね。こまった。

しかし現実には、薪能へ行く、観る、歩いて帰る、というのは、何かお祭りに似たうきうきした喜びがあるのです。そして、神社や寺院が、生きている人々によって息を吹き込まれるのを感じるのは良いものですから、私も素直に薪能を楽しむことになるのです。

子供を馬鹿にしちゃいけない

「ムジカノーヴァ」一九九九年五月号　道義52歳

僕はこれまで、クラシック・コンサートへ足を運ぶのは初めて、という人たちのための演奏会にも、積極的に取り組んできた。

「クラシックのコンサートへ行ってみよう」

そう思い立った人たちのためにできること、それは

「クラシックの敷居を低くすること」

……ではない！

敷居というのは、クラシックの世界に限らず、どんな世界にも、例えば人と人との間にだってある。それはあっていいものだと僕は思っている。時々、「わかりやすくすること」が「敷居を低くすること」などと誤解している人もいるけれど、わかりやすいかそうでないかは、聴く人の主観の問題だ。

「わかる」というのは、面白さがわかる、ってことなんだろう。だから、こういう曲は子供向けで、これはストレスのたまった女性向け、なんて考えは僕にはない。

山田耕筰氏の唱歌が愛され、彼のシンフォニーがあまり受け入れられなかったのは、「赤とんぼ」がわかりやすい曲だからではない。シンフォニーの出来がいまひとつ良くなかったからだ。誤解を避けるために言うと、よいシンフォニーを作曲するのは、最高に難しいチャレンジなのだ。

子供を対象にしたコンサートでの選曲の際、僕は、「子供を馬鹿にしちゃいけないよ」とよく言う。いわゆる知られている、売れている名曲だから子供たちにとっていいかというと、決してそんなことはない。それ以外にも、今の時代を生きる子供たちにとって大きな意味を持つ作品は、いくらもある。

例えば、マーラーの「子供の魔法の角笛」の中の「死んだ鼓手」。この曲は、戦争で殺された鼓笛兵の太鼓奏者が亡霊となって演奏を続けるといった内容だ。とかく大人は戦争や死といったものを遠くへおいておきたがるが、子供にとっては、生きる意味や価値を問い直すために、それはすぐ近くにあるべきテーマだと思う。

子供に限らず二十代の人たちでも戦争についてまるで知らない現実にはびっくりする。沖縄やサイパンに遊びに行っておきながら、そこでどんなことがあったか、ほとんど知らない。学校での歴史教育でいったい何を重視するのか？　今生きている世界は地球の自転のようにどうにも動かしようもなく？　ここまでに至ったわけではない。歴史が流れていく方向にはいくつもの選択肢があり得たということこそ教えるべきだと思う。

再び選曲に話を戻すが、もちろん、ポピュラーな作品だってプログラムに入れている。例えば「ピーターと狼」。しかしそれは、わかりやすいから、人気があるから、じゃない。

以前、僕が遺伝子の世界に目覚めるきっかけとなった岡田節人さんが、館長を務める生命誌研究館で、「ピーターと狼」の話を、「生命誌」を探検する、といった内容に書き換えてコンサートを企画した。音楽はオリジナルのままだが、ピーターが遺伝子くんで、狼が恐竜だったりするわけだ。これは非常に好評で、僕自身すごく面白かった公演だ。


さてそれでは、敷居は高いままで何をするか？

それは、敷居を飛び越える術、コツとか鍵穴を教えることだと思う。クラシックの知識があまりない人にとって、音楽の抽象的な世界を理解することはかなり難しい。フランスでの演奏会に、今流行のコンピュータ・グラフィックスの仕事をしている知人を呼んだところ、「何が面白いんだか、さっぱりわからない」と言われた。僕は、彼なら音楽の抽象性もわかるだろうと高をくくっていた。その絶望的なコメントを受け、一応作品の解説をしてみたところ、「この次はまた違うものを聴かせてください」とはなったが……。

演奏会当日、その場で、その作品のできた背景やそこに込められた思いなどを説明すると、何も知らずに聴くより、はるかにとっつきやすくなることがある。だからそういった知識の提供は、演奏する側からも積極的にしようと思っている。

今ではすっかりクラシック通になった友人とて、初めてのコンサートの時の印象といえば、「指揮者が手をパッと動かしたら、左のバイオリンの人たちが同時にパッと動いて、まるでおもちゃみたいでびっくりした」程度のものだった。でもこの時こそが、分かれ目になる。そこですぐに、何か演奏家の方から語りかけがあれば、「そういうことなのか」と納得、あるいは発見し、それがとっかかりとなって次へつながることがあり得るからだ。理想的なのは、クラシック好きの人が、彼らの感想に反応し、その思いを分かち合ってあげることじゃないだろうか。「あれ、どうだった?」「素晴らしかったよ!」「むちゃくちゃ、最悪だったよね~~」と言い合う。向き合う相手もなく、ポッと一人でこの世界に入っていくことは、かなりの偶然が重ならないかぎり、起こりにくいと思った方がいいかもしれない。

それは親子でも、ピアノの先生と生徒でも同じだろう。いい環境というのは、お金がたくさんあるとかそういうことではない。例えば母親が、子供が見てきたもの、聴いてきたものに対して、どれだけ会話できるか。その懐の大きさ、引き出しの数の多さが問題となるのだ。

聞くところによると、子供たちのクラシック離れを嘆いている先生方がいらっしゃるそうだが、別にそれは今に始まったことではない。現に僕も、中学時代はロカビリーに狂っていた。そういう年代はあって当然。ローティーンの頃に、クラシック・オンリーというほうが珍しい。その頃の僕は、「ピアノを一時間さらわないと、ご飯食べさせないわよ」と、母親にお尻を叩かれながらピアノに向かっていた。父親はピアノをうるさがっていたが。

でも、今こうして指揮者になっている。

実際、クラシック・ファンは音楽ファンの中では少数派だ。でもその中のひとつの点や糸が、大きな輪を作るもとになることもある。

僕は高校生の時、頼まれて、母校・成城学園中学のそれはそれはオンボロの小さなオーケストラを振っていた。その時フルートを吹いていた男の子が、今或る学校で、ＯＢによるオーケストラを作って、ついには第九の演奏会が立派にできるまでにメンバーを引っ張っていってしまった。フルートが他の子供より多少上手かったにすぎない少年が。彼に言わせれば、中学の時に体験したオーケストラの楽しさが、自分をここまで突き動かしてきたという。軽音楽に傾くその時期でも、クラシックの真の魅力を知りさえすれば、こういうことだって起こり得る。だから出会いが、人でも国でも、歩む道を選ぶことになるのだ。

とにかく種をまくのだ。で、そのあとは？　あとはこっちを向く瞬間を待つしかない。

僕は絵を描くのが好きだ。絵に興味を持ったのは、中学の時だった。ある日の美術の時間、自分でもわりと上手く描けたなー、と思ったその時、先生から「おっ、君、今までの絵とぜんぜん違うねー。これは素晴らしいよ！」と絶賛された。それがエネルギー源となって、すぐに二作目も描いてしまった。するとまた、「君、ほんとにいいねー。すごいよ」と褒められた。がぜんやる気になって、それ以来絵を描き続けている。子供が別のところを向いている時に、いくら働きかけをしてもそれは無理だ。僕自身がそれを経験している。

母は僕が小さい時、演奏会、バレエ、宝塚歌劇……と、様々なものに連れていってくれた。しかし当時の僕は、オーケストラを面白いとは思えなかった。ところが十五歳の時、桐朋学園のオーケストラを聴いて、大きな衝撃を受けた。そのオーケストラは、自分と同年代の演奏家で構成されていた。そのことが、僕にとってのオーケストラの存在を、身近なものへと一変させた。そしてその日、それまでの印象は、一気にくつがえされてしまったのだ。

だから、誰がいつこっちを向くかなんて、誰にも予測できない。ただ、その振り向いたチャンスを逃さないことだ。親にも教師にも、それしかできない、と僕は思っている。

好き嫌い

「日露友好ショスタコーヴィチ祝祭ガラ・コンサート」プログラム　二〇〇六年十一月　道義59歳

好き嫌いというものは誰にでもある。人参が嫌いだ、牡蠣が嫌いだ、デブが嫌いだ、バレエが嫌いだ、エトセトラ。アレルギー症ならともかく、好き嫌いには根拠がないものが多い。小さい時に母親が「あら○○ちゃんは×××が好きなのねえ、△△は嫌いなのね……」とか言っちゃったからに違いないのだ。

ショスタコーヴィチの音楽があまりポピュラーでないのもその最右翼に入る。社会主義リアリズムなどという、音楽にはなり得ないレッテルを貼られたり、どこかでひどい音のオーケストラ、または駄目指揮者での演奏を聴いてしまったりしているだけの可能性が高い。「暗い音楽だ」となんとなく仏壇の中にしまっておくような人も多い。まてよ、考えてみればこの私の発言も間違っている。「死は暗い」とは言い切れないし、仏壇だって実はキンキラに輝いているのが多い。

音楽は人間と同じだけ二面性、多面性を表現していて、モーツァルトの音楽が悲しさと喜びを抱き合わせに表現するのを、今ではみんなが理解し始めている。アマデウス生誕二五〇周年の影にショスタコーヴィチ生誕一〇〇年があるのはとても自然かも。彼の音楽はその二面性を、モーツァルトとは違った視点から、超新星のようにパワフルに白日の下にさらしている。

ショスタコーヴィチの親族や友人は何人もが粛清にあって殺されたり、シベリア送りにされたりしている。そんな中での彼の人生と作品なのだ。彼はあの美しいペテルブルクを愛し、自分の家族を愛し、自分の芸術能力の天才性を誇りにしていたのだ。芸術は娯楽と言えないことはないが、お遊びではないのだ。彼の作品は、人の暗い面をなぎ倒し、自分の時代なんてものを飛び越え、明日への希望を疑いながらも信じる「我々の音楽」だ。国境があるのは人が体の表面に肌を持つのと同じ。好き嫌いも一皮むいて考え直してみるべきだ。ぞっとする？

ショスタコーヴィチの音楽

「日露友好ショスタコーヴィチ交響曲全曲演奏プロジェクト」パンフレット　二〇〇七年十一月　道義60歳

飢えるという感覚を忘れた人は、生きることが無意味になる。

グスタフ・マーラーは豊饒で多面体の音楽を、二十世紀後半の録音技術の発展や映画音楽と共に、人の心にもたらしてくれた。

近年のコンサートホールも彼の音楽が理想的に響くように造られたとさえ思える程だ。でも後期ロマン派（夢という過去の産物から生まれた仮想世界）に逃避することは本当の道なのだろうか？

今年の秋、なんでも政権や政治と結び付けたがる、まるで学校の音楽の授業のような説明文に塗りこめられたショスタコーヴィチの音楽の本質が、日比谷公会堂で全てを見せるはずだ。ぬるい「日常のアート」や「エンターテインメント」としてではなく、ある時代という自然の流れの中に全てが昇華されていくような、古典的芸術観を内包した世界、それがショスタコーヴィチの音楽だ。

彼のように自由で強い心を持ち、アイデアの爪を隠し、自分の能力の限界を恐れるようなこともなく、たとえ命を脅かされても持論を曲げたように見せかけ実はそれを最後に間違いなく表現できるような能力が欲しい。男ならきっとみなそう思っていないか？

パンフレット。このシンボルマークは右上から、ショスタコーヴィチの横顔、旧ソ連国旗の槌、ロシア正教の十字架、ショスタコーヴィチが好きだったサッカーを表現したもの。河合秀昭氏によるデザイン

ショスタコーヴィチの交響曲の魅力は?

「一言でいうとそのネジくれた部分だと思います」

「音楽現代」二〇〇九年九月号　道義62歳

ロシア人の名前にはミドルネームがあって、上手く使うと人との距離をとるために都合が良いものであることがわかって面白い。今ではお隣に住む人のように感じるドミトリー、ドミートリエヴィチの姓を、僕も長い間「ショスタコヴィッチ」と間違って発音していた。どうやら「ショスタコーヴィチ」と、「コー」にアクセントがあるのだ。また、ややこしいことに彼の活躍した国、ソビエト連邦は今はもうないし、彼の生きたレニングラードと言われた街も今はペテルブルクと呼ばれる。

音楽は音の連なり、でしかないのだが、作品につけられた名前や、その作られた背景……作曲者の顔、年齢、耳が聞こえなかったとか、貧乏だったとか、奥さんが何人いたとか、どんなラブロマンスがあったとか、残した手紙がああだったこうだったとか……の知識によって違って聞こえてくる……、まるでショスタコーヴィチの名前を間違って覚えていたように、「音楽の内容」までがそれらの知識に影響されて、違って感じられるのだ。

我々は音楽を純粋に聴くことができるのか?

できない!

どんな人間も、ある時代にある場所に生まれることを自分で選択できずそこに生まれ、正しく生きたいと望む存在だ。

だから例えば「愛」も幻想に過ぎない。

全ての存在を統括する神? の存在は唯一つなのかもしれないがそうでないかもしれないし、それがどんな神なのかは人には知る能力がない。知ったと信じることができるだけで、それを信じることを人は信仰を持つと言う。

僕が一生かけてやっている「演奏」も実はその信仰の、発露であって、文字通り乾いて蒸発する。

そんなことを知り、冷徹に自分を見ることができたからこそ、ドミトリーはあの苦虫を噛み潰した厚いめがねの下に、優しさと、結晶のように透き通った彼にしか信じられない信仰……自己の類まれなる才能への賛歌と、同時代のソビエト国民や心ある友人たちに共通する人間の善意への希望を……音楽として外界の何にも歪曲されることなく作品として書き続けた、絶大なる自信を持った真の芸術家だと思う。

長いけれど、ここまでが前段。

今回、「音楽現代」から頼まれた質問、〈二〇〇七年十一月からの日比谷公会堂での「ショスタコーヴィチ交響曲全曲演奏会」を指揮して、彼の作品のどこが一番魅力か〉という質問に答えます。

一言でいうとそのネジくれた部分だと思います。

そして、彼の交響曲は、まるでピカソのように毎作品、それまでの自分を捨て新しく前進したベートーベンの交響曲以降、今までに生まれた作曲家の誰よりも男っぽいところが好きです。ブルックナーは特に後半の作品は神がかりだし、マーラーも実にスケールの大きい交響曲を書いています。しかし、ショスタコの前期の作品は、一番の、自己コントロールに長けた天才少年のクラシック音楽への律儀な敬愛の表現に始まり、二、三、四番の才気横溢で、全ての法律を無視したようなアナーキーな世界、最新技術で改造した、ニトログリセリンを燃料とするロケット付きの近所迷惑なエンジン付きのヨットを、真面目に免許を取ってから太平洋を一人で南極に向かうために運転するような危険さの表現。そこいらのクラシックを目指す音楽家にはほとんど見ることのできない若さの発露!!　その時の作曲者の歳と同じ歳の自分をもう一度タイムトンネルを利用して呼び覚まし、それを指揮する喜びには痺れます。

　さすがに四番の初演をする時、あの巨大国家を代表するオーケストラの楽員たちに対して、人を人と思わないような、ほとんど演奏不可能な音型の連続であるパート譜を書いた若造は敵ばかりであっただろうし、その頃脱稿した、周囲からガミガミ言われることを初めから期待したような、エロく、えげつない内容のオペラ「ムツェンスク郡のマクベス夫人」は明らかにその時代のソビエトの真実……あまりに真実だったため舞台でやることの意義がない（とは井上の意見）と言われ、「そうかあ、それなら確かにもっと人々が希望を持ってコンサートホールを後にできるような内容の曲を書いてやるよ、この私ならそれだって素晴らしく感動的に書けるぞ！」とばかりに爪を隠し書いた（と井上は決め付けている）交響曲第五番。

　僕はこのへんの彼の心理の葛藤が作品のそこここに匂う（臭う……）ためか、このシンフォニーだけは心から素直に演奏できない。例えば最後のバイオリンのラララララの連続はどうも愛人の名前の連呼だとか言われたりすると、「ああこっちの説明のほうが理解しやすい」と独り合点してみたり……雑念が入りもする。

　五番には「kakumei」という、全く内容と関係なく、意味のない名前は絶対につけてはいけないのだ。

田園交響曲のような六番は、短めだが五番と同じように希望を持って（全く別な希望……我々はこのままで良いんだという肯定を感じての足を地につけて）家路につけるショスタコだ（演奏にもよりますがね）。

七番は狂気を表現しているがそれは誰の心にでもあるものだということを突きつけてくる。決して敵だけが狂気なのではなく、戦争だけが狂気なわけでもない。モノトーンな毎日こそが狂気のもとであり、多様性を忘れ、無視し、純粋さだけを追い求めてしまうと、そこに紙一重で横たわるものこそ狂気であるという、芸術のわかりやすい表現。

しかし舞台の上での狂気もコンサートホールでの狂気も、現実の狂気に突然隣り合わせた時に、おののき震えないで正しい対処をするためのシミュレーションとして真に存在価値があるのか……そんなことを知らないでいられることが「幸福」なのかもしれない。

八番もその延長。暗く長いペテルブルクの冬、ドストエフスキーの世界、日本では釧路の気候、がショスタコの真骨頂で、演奏は実に難しい……。書かれた内容を納得いくように演奏をすることだけではない、聴くほうもエネルギーがいる。これぞロシア文学の世界。

九番はロッシーニだ。彼の憧れていた明るい世界を初めて交響曲にしたのだが、なんとそれはその時代のソビエトの人々の期待したものとは違ったと言われている（しかしその「人々」って誰なんだろう？　人々は何が欲しかったんだ？　きっとスーザのマーチのような作品が欲しかったのかと思う）。

十番は九番の反動と思えばわかりやすい作品。

真の「革命」連作交響曲、十一番と十二番を一晩で演奏するのが夢だった。二〇〇七年の日比谷での名古屋フィルは渾身の演奏をしたと思う。トヨタの力、レクサスの存在は名古屋のオーケストラに良い影響があると思うが短絡的か？

十二番の一つのテーマ音型はスターリンの名のアルファベットから出来ていて、そのスターリンのテーマが出てくると、音楽の喜びや人間活動を肯定するような部分は寸断され、破壊され、すごろくの一からやり直すがごとく、音の流れを邪魔されることを発見した時は「危ないことをやるなあドミトリー!!」と僕は痺れ震えた。心底憧れる！　バレたらすぐ粛清されたに違いない。

十三番は自国の悪への激しい糾弾を内包したドラマティックな交響詩。ショスタコで一曲だけ聴くならこの曲をおすすめする。真に男性的な音楽、そしてユダヤ人に対してだけでなく人が知らず知らずに行う差別という現実を扱い、どこにも逃げることのない表現は、どんな作曲家もやったことがない。

十四番は超現代的な作品。ウルトラハイテクニックの少数精鋭メンバー、二人の歌手と、誰が失敗するかを競うような指揮も難易度の高い作品だが、まるで映画を観るように具体的な、見える音楽が素晴らしい。ロシア以外での上演には字幕が欲しい作品。

十五番は毎日でも聴いて飽きない作品。憧れながらも敵国の音楽だったワーグナーと、子供の頃から愛したロッシーニの世界を自分の血として取り込み、愛すべき父親でもあったショスタコーヴィチ氏の日常こそ芸術だったのだと感じる、温かく清浄な世界。

ああ……

このように生きたい。

このように逝きたい。

オーケストラとは

「日比谷公会堂開設八十周年記念式典&コンサート」パンフレット　二〇〇九年十月　道義62歳

日比谷公会堂に今回集まってベートーベンをやる人は一生忘れない経験をすることになる。お客さんも何かを発見できる期待を胸に秘めて聴きに来るだろうし、コンサートを企画する側もただの八十周年記念コンサートではない何かを確信している。八十周年記念オーケストラは、戦後日比谷公会堂でたくさんの演奏会を経験した先輩たちと、日比谷にホールなどあることも知らない未来の人たち、そしてその中間の現在を担っている人たちによる三世代編成だ。

この場所は以前音楽の中心であったが、捨てられてきた。それは何故だったか、豊かさのために不便さなど捨てたことと引き換えに何を得たか、考えるきっかけにもなろう。

オーケストラというのは音楽の全てではないし、音楽は人生の全てではないが、人類だって地球にとっては全てではない。

オーケストラとは、十歳から八十歳までが隣り合わせに座って音楽ができる器だ。何を目指して演奏するか？　何のためなのか？　自分に何ができるか？　忘れていることをきっと発見できる特別な日となるだろう。

グスタフ君のこと　マーラーの演奏と指揮について（多少子供向けの文体で）
——マーラーの音楽は若者のためのもの……

「音楽現代」二〇一〇年三月号　道義63歳

むかしむかしあるところに、グスタフ・マーラーという、作曲をする指揮者がいました。まだ子供だった頃彼は、あるとき山に芝刈りに……ではなくお散歩に、お父さんと近くの森に行った時、ずぼらなお父さんは子供が家に戻ったと思い、一晩グスタフ君を森に置き去りにしてしまいました。でも幸い暖かな季節だったため、翌朝見つけられた彼は無事で何事もなく成長していきました。何か危ないことが起こるということは、何事も起こらない人より素晴らしいことかもしれず、大きくなったグスタフ君が音楽を書けるようになった時、あの時の森の響きや聞こえてきた起床ラッパ、自分の意外と不安感のない不思議な気持ち、たぶん一人だけの気持ちを乗り越えようとした心の中の冒険を、音にすることにしました。

勿論初めての試みですからすんなり出来たわけではありません。短い曲を書いてみたり、合唱を入れた曲を書いて言葉にしてみたりのたくさんの実験の後に、一つのシンフォニーとして世の中に出してみようと思い立ったのです。

幸い、彼にはもう一つ、指揮者として人を統率する能力も神様が与えていたので、自分でチャンスを見つけて自作の指揮をし演奏をしては、上手く響かない所や客観的にわかりにくいと思える所などを少しずつ書き直したりして、「交響曲第一番」としました。

彼はユダヤ人という、ユダヤ教を信じる民族の生まれで、その民族は、キリストの教え＝キリスト教が生まれた後のヨーロッパでは、長い間迫害を受けていたのです。日本では今も神社もお寺も他の宗教の神様も場合によっては同居していたりしますが、昔は徹底的な殺し合い、戦いもあったわけです。グスタフ・マーラーの時代のヨーロッパでは「国というものを持てないユダヤ人」のことに関しては、まだまだ未解決なことが残っていたわけです。

ですから、素晴らしい能力を持つ彼、マーラーさんも、ヨーロッパの中心的な大人の社会ではいろいろな壁を感じたようです。それは大人が簡単に言う「差別」という言葉では表せないことだったといえます。

例えば彼の先輩の大天才作曲家フェリックス・メンデルスゾーン・バルトルディも同じユダヤ人で、銀行家であったためお金に困らなかった彼でさえ、それを乗り越えるのには多くの葛藤があったくらいです（バルトルディは彼の父がプロテスタントに改宗した時につけ加えた名前です）。

裕福ではなかった、田舎に生まれたマーラーはさらに大変で、彼が感じたその時代の、都会でのユダヤ人への差別は大変強いものでした。

二十一世紀の今、アメリカでも黒人に対する差別、黄色人種に対する差別などは、法律上でこそなくなっていますが、地方によっては人々の心の奥にはまだまだ差別感が根強く存在します。人間の心の中には誰でも差別をする感覚があるものです。また、それを受ける人が感じる社会からの孤立感、違和感などは、多かれ少なかれ全ての人が経験すると思います。

人によっては差別を受ける部分が他の人と別なところかもしれないし、また人によっては差別する部分がふつう全く想像もつかないところであるかもしれません。我が国では今も、ある特定の国の人への、ある学歴の人への、ある地方の人への、タバコを吸う人への、ホームレスへの、男ばかりが好きな男の人への、標準語が話せない人への、差別があると、私は思います。

差別と区別は微妙に異なりますが、音楽が好きな人でも、レゲエが好きな人、みんなが知っている流行歌が好きな人、クラシック、それもある時代のある作曲家だけしか楽しめない人、演奏だってある一つの方法でないと納得しない人など、それ以外のものを蔑み、下に置こうとするか、遠くにうっちゃって遠ざけたりすることがあることはみんな知っていますよね。

もちろん音楽だけでなく、食べ物、街の建物の形、言葉遣い、気候の好き嫌いなどでさえ、人間は全てのことに、いつか差別になっていく強い区別を意識します。それが「文化」というもののある側面だから、仕方ないのかもしれません。

作曲家マーラーは、人々が蔑んだ田舎の音楽を、それまでの作曲家がよくやってきたように自分の生きているクラスに取り込むように「料理する」のではなく、「生のまま」、心の深いところの、音楽が書かれている部分を邪魔するようにはめ込んだ、初めての人でした。

それは、自分が受けた差別への復讐などではなく、上流下流の感覚の縄張りを解こうとする、自由平等博愛の精神の音楽化でもあったかもしれませんが、本当は自分の心の中、主観の中に城、またはユートピアを作り上げ、彼自身の精神の平和を保とうとした作業だと私は思います。


私の話は広がりすぎましたか？

マーラーの交響曲を名演にする必要条件は、このようなことを、理解し、自分のこととして、痛みとして、闘いとして、想像することのできる人生を持った指揮者を得られるか、ということが前提だと思われます。

すなわち彼が、オペラを書く気持ちで交響曲を書き、宗教曲を奉じるつもりで交響曲を書き、愛をささやくセレナーデを書くつもりで交響曲を書いた、常に背中にお客さんの存在を感じる「指揮者である作曲家」であったことを、素直に受け止め、演奏する上で体力的にも大変な彼の作品の持つ表現の幅の広さを、知性で高みへと持ち上げることを目指し、安手の自己顕示欲から離別しようという姿勢がなければならないとも思います。

と、ここまでわざと子供向け、または青少年向け風の文章にしたのですが、それはマーラーの音楽が若者のためのものと思われてならないからです。それは実年齢とリンクするとは限りませんが、マーラーの音楽は少なくとも、常に不満を持ち、解決に立ち向かうチャレンジ精神を持つ人のための音楽でしょう。不満を持つ人間とはいつも下品なものです。隠すことなく不満を顔に出し、悪態を吐こうものなら、落ち着いた人からは「あいつは若い」と言われるでしょう。そんな「若い」才能あるグスタフは、交響曲第六番や第七番を構築し、第八番を書き終えて、文字通り自分の素晴らしい居場所を見つけかけた時、いわゆる大人になった時、奥さんとの関係で精神のバランスをこわし、さらに近代的な、旅する指揮者として異常な多忙になったため、健康を害し五十歳で世を去りました。

彼の「大地の歌」、交響曲第九番は、そんな高みに一人で必死に立っている様相で、大人を演じようとする人間を真の意味で支えてくれる素晴らしい作品になっています。

マーラーだけでなく、過去に生きた全ての作曲家は今そこで現実に息をしてはいません。しかし、どんな人間の書いた作品であっても、同じようなドラマは世界中どこに住む人間にもあるでしょう。演奏家が音楽を演奏するということはその作曲家の人生をもう一度生き、共有することですから。

ただしグスタフ・マーラーの音楽を演奏しようとする時、ひとことで言うと、「私は人を差別したことがない、されたこともない」とか恥ずかしげもなく言うことのできる大うそつきは、マーラーの世界には近寄らず、別の清潔な病気のない世界に生きたらいいと思います。

そのような方でも、たくさんの技術的な勉強と、経験や忍耐が、ある程度のところまで持って行ってくれましょう。ある程度のところまでなら……。

ミチヨシ流　音楽鑑賞術

毎日小学生新聞　二〇一六年十月二十日　道義69歳

テレビやCDじゃなくて、いいホールで生の演奏を聴いてみよう。オーケストラを聴くなら、いい指揮者でその人が得意としている曲を、ピアノだったら、いいピアニストが得意な曲を弾く時を選んでみよう。親に頼んでごらん。お父さんもお母さんもちゃんと考えて連れて行ってくれるはずだよ。

生で聴くなら、一～二時間がまんする時間も必要。ステージで必死にパフォーマンスしているところを、じっと見て聴いてください。席は前の方に座るのがおすすめ。演奏の途中で、楽譜のページをめくる音が聞こえたり、汗が飛んできそうな位置に座ってごらん。客席の自分たちのために、ステージの人たちは一生懸命やっている。「生きている」という感覚が伝わってくると思う。

それだけやって、つまらなければ、キミの問題じゃない。それは、その日の演奏が悪かったんだ。音楽が自分の心と合わないこともあるし、おなかいっぱいで眠くなることだってある。心が動かなくても、演奏のせいだと思って、また来てみようと思って帰ればいいよ。

Oh, 能

「国立能楽堂」第三四五号　二〇一二年五月　道義65歳

渡邊筍之助さんとは、昨年『大魔神』という新作のお能の試演を金沢で実施した時に深くお付き合いをしました。武満徹、伊福部昭、モーツァルトらの音楽を背景に、渡邊氏演ずる故岩城宏之音楽監督が大魔神（！）になって降臨し、ワキ役の現アンサンブル金沢監督の井上を打ちすえる、という話を文字通り二人で作ったのです。また金沢では、観世銕之丞さんがポーランド大使ロドヴィッチさんと共作した新作能『調律師』——ピアノの調律師とショパンの霊がシテ、画家でショパンの肖像を残した友人ドラクロワがワキとなり、ショパンの「ノクターン」を背景に使った、大変示唆に富んだ作品を上演しました。

若い頃、よくわからないけど大したものだと周囲が言うので興味を持ち続けて観に行っていたお能は、今随分と近い所に存在しています。ただ、お能側に近づくのではなく、無理やりこちら側に近づけるという方法ではありますが……。ショパン・マニアには嫌がられ、お能マニアには普通の音楽を使うなんて意味がない、と思う方もいらっしゃるとは思います。

この態度は自分の生業である指揮についても同じことが言えます。誰それの弟子と言われることを誇りに思い、本家本元に近づき、自家薬籠中のものにする指揮者は大勢います。そういう方法以外に東洋人が歩む道はないのでしょうか？　今活躍している歌舞伎者のみならず、お能や狂言の、いやいやこの国の華道、書道等々、家元制度の下に生まれた多くの人たちも、実はその中で一旦は反発したり避けたり無視したりした末に、ある時何かを発見し、それぞれの芸の中に新しく道を見出した人がほとんどではないでしょうか？　素直に「誰それ」を継ぐなんて本気でしょうか？　これは会社を継ぐ、家業を継ぐという場面でも同じだと思います。

お能のみならず、全ての芸術にとって観客とは、世界中どこでも大体八〇％が素人です。物によっては九九％が素人で、通じない言葉で相手に語りかけるような世界です。最近聞かれなくなった言葉に「私はクラシックがわからないので」があります。これは実は演奏する側に問題があって、つまらなかった経験が重なっただけです。出し手側の能力の問題なのです。受け手に対して必要なのは敷居を低くすることではなく、入口を開ける「鍵を手渡すこと」だと僕は信じてやってきました。自分が逆の立場になって考えればいつもそうなのです。

その「わかる」というのは、能でいえば例えば装束のそれぞれの意味、舞の意味、囃子の出来不出来、その日の声の調子のよしあし、特に最近はいろんな補助メディアの出来不出来……、それこそわかることが不可能なほど、様々なことが纏いついています。そこまで突っ込める観客はあまりいませんし、そこにエネルギーを注げる人はそういません。
例えば、しょうもない歌手やダンサーなどでも、見てくれが良ければ通用したり、何もできなくても「良い人」ならばみんなが許したり、特別デブだったりアンバランスだったり、日本語ができる珍しい外国人だったらタレントと呼ばれたり……、スポーツだってファッションだって、ルールも知らない、時代の美の支点もわからない人の中で、それぞれの世界の〝プロ〟として生きているのでしょう。

そうなのです。物の価値基準となるものが多すぎて価値観が多岐に渡り、「自分で選ぶ」ことに本当に異常なほどエネルギーが必要な時代です。僕は去年、北朝鮮の平壌に呼ばれて国立交響楽団を指揮しましたが、かの地では、選ぶ必要がないほど物が少ないことに芯からほっとしたくらいです。
幸福は自由度とつり合うものなのでしょうか？　静かな独房に幸福はないのでしょうか？スーパーマーケットやインターネット・ショッピングに幸福が隠れているのでしょうか？　そもそも幸福度などは測れるものでしょうか？　自分の主観を信じられるようになるのは一握りの人間ではないでしょうか？

話が随分飛躍してしまいました。

お能は時空を飛び越えますし、一瞬の中に一生を凝縮しようとします（でも全ての真の芸術がそうです）。しかしジャズのセッションのように、あまり合同練習に時間を割かない能の上演方法は、何らかの方法で繰り返し上演に耐え得る方向を模索するべきだし（これはオーケストラ音楽にも同様な課題です）、今こそ九九％の素人のお客にも受け入れられる「今を主題にしたお能の手法によるドラマ」を果敢に創作する時と感じます。法外にコストのかかる伝統的な装束から、そうでない衣装への「革命」もあるべきとも思います。

底の浅い内容と、生の音からどんどん離れていっている出来損ないのミュージカル（素晴らしいものもあるけど）や、耳もつんざく音量でありながら何を歌っているかわからないロック・コンサート（良いものも無くはない）の泥沼に大多数の人々が騙されていることに気づくのだって、もうすぐ先にあるのですから。その「革命」は、日本という枠さえ取り払って進めるべきでしょう。防波堤は役に立たないのです。

明治維新は正しかったか？

道義65歳

「未来だった今より」二〇一二年一月十一日

最近、能の観世銕之丞さん、渡邊筍之助さん、雅楽の上野慶夫さんと交流があり、いつもと違う角度から伝統とは何かを考えた。クラシック音楽は一八七九年に音楽取調掛という部署が文部省に開設されたところから始まる、と昔中学校で習ったが、西洋音楽って文部省が輸入したものか？　と思ったものだ。改めて調べてみると、その部署は、野蛮で劣るとされた邦楽！を全て五線譜に書き写そうとしたり、淫靡なものが多い長唄を改良すべしとしたとか、乱暴な話だ。五線譜は今も西洋の音楽でさえ書ききれないし、エロスなしには音楽の花は咲かない。思考が幼稚で科学的ではないではないか！

黒船以降日本は、明治維新を起こし、坂本龍馬らは今もヒーロー扱いで、西欧化したことを善しとしている。しかし、維新前の日本は三百年近く平和で、鎖国と言われながらも実は外国とは上手く付き合っていたことなどを、もう一度見直すべきではないか？

大きな戦争はグローバリゼーションからやってきた。人種差別の激しい白人中心の文明と上手く立ち回ろうとした往年の政治家は、当時の、感覚のみで恐れおののくフツーの人々の濁流に負けた。

大国に植民地化される恐れ、近代文明に後れをとってしまう恐れ、それが維新以降、国を富国強兵に邁進させた。「わからないこと」は恐れに結びつきやすい（二〇二二年の今、コロナも同じだ）。それを科学的に捉えようとすることこそ西欧文明から学ぶべきものだったのに。「なんだか素晴らしいがわかりにくいモノ」として形骸化させてはいけない平和の国の花に、能や雅楽がある。無論何でも同じで、本当の名人が演じるものはわかりやすく面白いし飽きない。

指揮者とは？

「未来だった今より」二〇一二年六月十九日　道義65歳

先日、サントリーホールでヴィンシャーマン（ドイツの世界的な元オーボエ奏者）という九十二歳なのに元気に指揮？　をしている人の「ヨハネ受難曲」を聴いた。最近亡くなったボッセ（ライプツィヒの元コンサートマスター）という指揮者？　は九十歳だった。ゴールドベルク（ベルリン・フィルの元コンサートマスター）という八十四歳で亡くなった指揮者？　も含め、共通点がある。みな奥さんが日本人だ。ウィーン・フィルやベルリン・フィル、イタリア、フランスでさえ、男のそれも優秀な音楽家が日本の女性を大事にするのは半世紀も前からだ。それに引き換え日本の男は、例外はあるが、欧州の女性からモテるという話は聞かない。

それはさておき、指揮者はなぜじじいになってまでやれるのか？　疑問が解けない。みな指揮者になったのが晩年で、十代からやっている僕から見ると、これでいいの？　みたいな指揮が多く、指揮を「楽器を演奏するのがきつくなったから指揮します」的な仕事だと思われることへの、胸中に巻き起こる嵐が止められない。誤解しないでほしいが音楽の問題は別だ。みな素晴らしいソリストであったことは確かだし、音楽的な魅力も人望もある。でも世の人々の大半が、指揮者は何をやるべきで、どこが上手いか下手かを見分けることができないのに愕然とする。

昔ロンドンで勉強していた頃、指揮を始めた若い頃のバレンボイム（四歳年上、天才ピアニスト。近年良い指揮者）のレコーディングを見学させてもらったにもかかわらず、「あなたは指揮は下手なのになぜすごいキャリアが築けるのか」と言って顰蹙を買ったことを思い出す。

男と女の事に結論はなく、誰もわからない指揮のアートにも結論はなし。

青ひげ公の世界

「コンサートオペラvol.1　バルトーク　青ひげ公の城」フライヤー　二〇一三年九月

道義66歳

「青ひげ公の城」は、全ての男性の中に存在している記憶の城。

男なら誰しもが思うこと……同じ人間でありながら大いに違う生き方をしているらしい女性の持つ記憶と、男のそれとの違いが主題。最近は女性パワーが男より勝るという平和な？　時代だ。アマゾネス神話を別とすれば戦争は男の特許であり続けたことを歴史が証明している。中東周辺でも今も果てしなく起こっている宗教がらみの戦争は、過去の記憶を消すことができない「男性的記憶装置」のなせる結果かもしれない。

大げさに問題をすり替えなくても、青ひげ公の城の中、いくつかの部屋に蓄積されているような人々の過去の記憶は、今では、厚い本を読んだり、探し回る努力なしに、誰もがすんなり得られる「電子情報」として、お手軽に思い出すことを可能としている。忘れればいいような過去の情報さえも、何回も目の前に、あたかも昨日の出来事のように再生されてしまう。

過去と現在は別で、過去の愛と今の愛は同時には両立しないし、それが同時に結び合わされるのは、音楽や舞台上など、芸術の世界でだけだ……というのが女性的記憶装置。そんな、男から見れば人間とは思えない、切り替えと割り切りの「上書き機能付き記録回路」を持つのが女性。

それこそがいとおしく、可愛く感じられる原因であることが我々青ひげには恨めしい。

歓喜もなく勝利も確信もない　ショスタコーヴィチの十二番

道義69歳

「道義より」二〇一六年十一月二十六日

今日はさらに良い演奏にする!!　と願うのが人の原点。でも良い演奏という基準はなんだ？　誰でも知るように、良かれと思って悪くなることもある。人の善意というのは、多かれ少なかれ独善の様相を帯びる。若い頃は、これがわからない。若いということはわからないということかも。若ラナイ？　だから希望に満ちているのだが。

今回のプログラムに、解説者が、四楽章では「革命に勝利した人々の歓喜が謳われる」と書いてしまっていた。文字というのは印刷されると重みが出現する。このような安易なプログラム解説は結果的には多くの聴衆にとってその日演奏される（演奏された）音楽をわからなくすることになる。演奏批評というものも時に罪深いが、特に作品の解説は心してほしい！　あえて弁護すれば、このような、革命運動や社会主義と結びつかせたショスタコーヴィチ解説は、ロシアでも世界中どこの国であっても、いまだ書き続けられている。（文章で音楽を表すことはほとんどできないからこういう方向の方が書きやすく、読んだ人も「ふ〜〜ん、そういうことなのか……」と、自分が聴いた印象を曲げてでも固定化してきた歴史が長いから……仕方がないのだろう……か？）

真実は、今回のピアノソリスト、アレクセイが、後半を客席で聴いてくれて、僕が袖に引っ込んだ時に客席から走り込んで来て言ったこと。Oh, what a concert! Wonderful wonderful performance! And what a music!! Such ending, I feel trembling. My arm is still shaking, the ending! It has no solution. Oh Shostakovich….. genius!

彼はこの曲を初めて聴いたのだが、この作品には歓喜もなく勝利も確信もないことをしっかり咀嚼していた。

人は善意でもって良い方向に行こう（革命）とする。しかし間違ってしまうものでもある。それを罪と呼んで糾弾することはたやすいが、この作曲者はそれをしない。五番でも同じことをやり、十二番でさらにそれを深めたのだ。

モーツァルトは

「サラ・デイヴィス・ビュクナー Mozart Innovation」プログラム　二〇一八年九月

道義71歳

隣にいたら楽しい奴だっただろう。

何故かというと、君の中にあるちょっとした嘘、人のせい社会のせいにしている狡さを、笑いと共にえぐり出してくれるもう一人の君のような奴だから。

少年時代の彼は学校などには行かなかったが、たくさんの大人に囲まれ、ませた天才そのもの。可愛い少年でもあったようだが、長じて遺伝子的にいろんな病気が出現し、皮膚や歯などが相当薄汚いものになっていたようだ。このような彼の人間としての問題や性格などは、残された手紙などの研究を通してたくさんの本が出て研究され尽くしているから、読んでみるとよい。

僕は本を読めば読むほど、神童と言われるような才能を持った人の人生は大変だと思うのだ。何故、自分ができることを他の人ができないのか、わからないのかもしれない。きっと人がアホに見えるだろう。でも普段は普通に常人のように行動をしなければいけないのだから大変だ。そうはいっても普通の人にできることで、彼にできないことは必ずあるから、彼も普通の人と同じだけコンプレックスを持った。

さて、彼の音楽を演奏する時、一番大切なのは「多くの表現が二重の内容を秘めていること」を知ることだ。以前、元気な頃の長嶋監督と読売日本交響楽団のコンサート後に対談した時、立教時代や巨人に入ったばかりの頃、よくモーツァルトを聴いていて、同じ曲が、ある時は自分を元気づけ、ある時はあちらから悲しげに共感を求めてくるのが不思議だったと言っていて、そのあまりに当を得たモーツァルト像に驚嘆した。

そう！　楽しいのに寂しい、強いのに壊れそう、得意げなのに自信無げだったりする……。

しかし何といっても人はその人の人生を一回しか生きられない。モーツァルトはあの時代の、オーストリアで、あの時の楽器や、あの時の人の中で生きた。あなただって同じこと。彼は、のちにこんなに世界中でもてはやされることなんぞこれっぽっちも考えないうちに死んだ。

我々の時代、過去のことも、世界中のことも、知ることができすぎ、知れば知るほど、自分が軽く小さくなるのだ。何かができることはよい面ばかりでない。

時は一回だけ、今のここは二度と来ない。

III

街から街へ

ロンドンレポート

「デボネアVプレス　こだわりの紳士録vol.1」一九八六年　道義40歳

ロンドンというと、山高帽にステッキを持った穏やかな紳士の地、などという印象がありますが、これはもう、たいへんな認識不足。外国人が、「いつなんどきでも着物を着ている日本人」を想像するのとどこか似ている気がします。実際、イギリス人の国民性の中には、サッカーの応援風景にも見られるように、かなり攻撃的で闘争的なところがあり、それなしではまずイギリスを語れないというのがほんとうのところではないでしょうか。

例えばイギリスは「トラディショナルな国」としてよく形容され、またそう言われると多くの人々は、伝統を頑なに愛し続けるイギリスばかりを見てしまいます。そして、彼らにとっての伝統が「創造物に対する辛辣な批評と反省の上に成り立っている」ということは、意外なことにまだまだあまり知られていないのが現状です。

ものに対して、人に対して、また自分に対してでさえ、客観的に見るような手厳しさを持つイギリス人。それゆえ彼らは、自分たちが認めたものに対しては人一倍の誇りを持つことができるのです。

ロンドンには多くのアーティスト達が集まってきます。こと音楽に関して言えば、そのほとんどが輸入の文化なのですが、ここでも彼らの磨かれたものを見る眼は厳しい輝きを持っています。拒絶か、深い愛情か、そのどちらかで迎えられるこの地での演奏は、私にとっても、それだけにかなりエキサイティングな闘いであると言うことができるかと思います。

ミラノレポート

「デボネアVプレス　こだわりの紳士録 vol.2」 一九八六年　道義40歳

ファッション・ショウとか、カー・フェスティバルとか、何かしらのイベントで一年中賑わいを見せ、「ホテルの予約」さえままならない街、ミラノ。

知的でセンシティブな人々や才気溢れるアーティスト達がこぞって集まるこの小さな街には、人を惹きつける何か大きな「力」が今、あるようです。私がこの地を訪れるようになってから、もう十六年。ここに住む多くの友人達が「自分にとって世界で一番魅力のある国は、我がイタリアをおいて他にない」という熱い思いを持っているのには、いつもながら感心させられてしまいます。そして、自分達が築いてきた創造物、ひいては自分自身にまでよせられるこうした思いが、「ミラノの文化」をより厚みのある素敵なものにしているのではないかと常々考えさせられるのです。

例えば、自分を誰よりも魅力的に見せようとする強烈なファッションへの関心は、「自分を愛し、自分を知る」というナルシズムの上にはじめて成り立つもので、多くの人々がいい意味でナルシスティックだからこそ、優れたファッションデザイナーを育てる肥沃な環境が生まれるのであろう、とか、また、オペラが発展し愛されるのも、きっと彼ら自身が「自分たちの言葉」をこよなく愛せるからなのだろう、とか、……一事が万事私にはそう思えるのです。

自分自身の個性や自らの文化に絶対の自信を持ち、それらを華やかに創造していくミラノの人々。私はここを訪れるたび、「人々の音楽を通した自己の確認」に強く胸を掻き立てられるのを、確かに感じることができます。

パリレポート

「デボネアVプレス　こだわりの紳士録 vol.3」一九八六年　道義40歳

オペラ座がはねると、キャプシーヌ通りあたりのカフェには、粋に着飾ったパリジャンやパリジェンヌたちがひときわ華やかにパリの街を彩り始めます。

ファッションも、遊び方も、そして会話も……、まるで映画のワンシーンのようにスマートな彼らのやり方にはいつも感心するのですが、それにしてもどうして彼らはあんなにも素敵に見えるのでしょうか。そう考えるのはきっと私だけではないと思います。彼らが素敵に見えるのは、「パリの建物や街路自体が醸し出す雰囲気が素晴らしいから」といったことも確かにあるでしょう。けれども、実際同じ雰囲気の中で比べてみても、やはりフランス人の行動や仕草にはどこか人の憧れの対象になるような、粋で、スマートなところがあるのです。

以前私はどこかの本で「フランス人には、個人的な感情に左右されず、繊細かつ鋭敏に人を観察し、その性格を見抜く力がある。その冷ややかなほどに冷静な眼は、いつなんどきでも自分の置かれている状況を自分でしっかりと把握できるほどだ」というようなことを読んだことがあります。そして、考えてみると意外とこんなところに彼らの「スマートな行動の原理」があるように思えます。きっと彼らは、いつでも冷静に、自分を引いて見ることができるからこそ、全てをまるでゲームのように粋に楽しめるのだと思います。

パリという美しい街並みとか、印象派の素敵なイメージがついつい色濃くなりがちですが、私にとっては、「繊細かつ冷静な心の眼を持ちながら、豊かな感性を兼ね備えるフランス人」のほうが、今は何より魅力的にうつります。近年、英語を受け入れてくれるようになってきた彼らと、議論によって、美的でそして現実的な理想が追える、仕事が楽しみでなりません。

ここでの公演は私はまだ二度ほどで、それだけにパリには未知数のところがいっぱいあります。私にとってとても新鮮で、大いなる音楽的興味を与えてくれるこのパリの地は、今、新しいオペラハウスをバスティーユに建設しています。

音楽が聴こえる町、冬のザルツブルク

「ミューズ」VOL.21　一九九一年二月一日　道義44歳

二十五歳だった僕の初レコーディングも、随分昔のことになった。それは、ザルツブルクでのモーツァルテウム管弦楽団との三枚のＬＰだった。そのレコードと共に、クラシック・ソフト会社設立へと向かったトリオ・レコードという会社も今はもう無い。したがってレコードはもう売られていないのだ。〝ザルツブルク〟という響きは、そんな特別な感情を思い起こさせる場所として、僕の心に住んでいる。

「俺は絶対にＭＯＺＡＲＴを最高に生かせる指揮者になるんだ」と決心してヨーロッパに青春を傾けたし、必然的にザルツブルクは何度も訪れた。好きだ。すごく好きな場所だ。そしてそこに滞在して、仕事をして、旅して、遊んで、「ああ、やっぱりこれなんだ。この時間の過ぎ方がＭＯＺＡＲＴのエッセンスなんだ。この町のサイズ、いろ、川、あのミュージカル《サウンド・オブ・ミュージック》の世界はやっぱり彼を生んだ秘密そのものだ」と、深く感じたのだった。

どうしても僕は東京生まれの東京育ち、やっぱりひどくせっかちなのを思い知らされたのも、

モーツァルテウム管とのLP。タバコは吸わないが「ちょっと持ってみて」と言われてのポーズ

それからずっとあと、十年もしてからのことだった。

「音楽がつまんなくなった……。おかしい……。こんなはずはない。きっと自分が貧しいのだろう……」と思って、一年あまりを、考えたり、オペラの入り口を開いたりすることに費やした頃だった。

たくさんオペラを観て回り、練習をのぞかせてもらい（隠れて観たものも多数ですが）、ある時、ザルツブルクの新しい《コシ・ファン・トゥッテ》の切符が手に入らなかったので、例の特許井上式モグリ術で観た（手に入らなかったのではない。何万円も出して観る芸術のあり方そのものに反感を持っていたので、買いたくなかったのだ）。その時、突然襲われた新しい理解……「ああ、そうなんだ。こんなにもぜいたくに豊かに時が流れていくんだ。いや、これはぜいたくなんかじゃない。豊かなんだ。人がこれをぜいたくと見るのは間違っている。人間の持つ、ありとあらゆる能力を尽くして、夢の、理想の世界を築く。すぐに消え去ってしまう音楽に託されるのは、昇華される美しい汗。これを〈消費〉と呼ぶのは自由だが、それは人間そのものにつばすることだ。何故かというと、それが人間の価値を計るものではないとしても、人は豊かさを求める生き物だから。自分の人生を充分に求める動物だからだ。そのことがいつか、人類を破滅のきわに追い込むことになるかもしれないとしてもだ。その上、人生の目的を探ったり、人間そのものの存在の意味を問う〈芸術〉というものが、どんなに値段が高かろうがよろしいではないか。もしそれが確かに価値あるものとして感じられるならばだ」。

　さて、あのザルツブルクの、観光客にあふれ、モーツァルト・チョコレートの飛び交う夏の裏側には、ひっそりと自分の町を取り戻す冬のザルツブルクがあるのだ。町はこうでなくてはいけない。そこに住む人がどうしても必要な音楽が毎夜きこえる町。（ところで、日本には本当の音楽祭を築ける町はないだろうか？）

　日本にはそんな「時」の過ぎゆく町が少ない。それは一人一人の問題なのかもしれない。みなさんは、自分の町を好きですか？　自分の生き方を愛せますか？　……。

気軽に公演会場へ

「指揮者のぬり絵」 一九九三年五月十九日　道義46歳

僕が京都のオーケストラの指揮を始めて三年が過ぎました。[*1] もちろん、東京の新日フィルをはじめ、日本の主要なオーケストラ全部と海外のオーケストラでも振っていますが（先月にはシカゴ・シンフォニーでマーラーの九番をやりました）、全人格をぶつけて監督をやっているのは、この街の京響です。

今年の四月、京響の一年間の自主演奏会のプログラムを、私も出席して大阪で記者発表をしましたが、文化関係の記者らが十五人ほど出席してくれました。そこである記者に「今年はお子さまランチプログラムもやるのですか？」と聞かれました。それまで京都では駅に降りるたび！ トイレに行くと出てくるたび！ というくらい「もっと普通のプログラムを」と、まるで逆の意見を言われ続けたのに。そこで私はこのコラムを書かせていただくことにしました。

私は京都の人に京響や私のやっていることを知ってもらいたいし、突き詰めれば音楽を通して現在の京都を考え直したいと思っているのです。例えば京都会館の場所さえ（岡崎の平安神宮の隣ですよ）知らない人が多いでしょう？

私は京都の人に、「コンサートに行く」ということを、四条河原で買い物したり、近所の人と立ち話をしたり、テレビを見たりすることと同次元で考えてほしいのだ！　そりゃ、僕たち、コンサートにはセビロじゃなくてエンビ服ですけれど、なにも貸衣装でやっているわけではないのです。あれは労働服なのです。そんなわけで、京響や私を、軽く考えてもらっても大事に考えてもらっても結構、ただ「知らない」というのは灯台下暗しです。

千二百年[*2]や新コンサートホールよりももっと大事なのが、京都に住む我々一人一人の毎日でしょう。どうかよろしく。

編注

＊1　一九九〇年四月～一九九八年三月まで京都市交響楽団音楽監督・常任指揮者を務めた。「指揮者のぬり絵」はその在任中の一九九三年五月十九日より京都新聞夕刊にて連載が始まった。

＊2　平安京遷都から千二百年。当時、これを記念する様々なイベントが開催された。

津山国際総合音楽祭

「指揮者のぬり絵」 一九九三年十月十二日　道義46歳

京響は先月二十六日、岡山県の津山で三年ごとに行われる音楽祭に招かれ、千人のシンフォニーといわれるマーラーの交響曲第八番をやりました。人口十一万人の市が二億三千万円かけての音楽祭。ジャズも演歌も能もクラシックも講演もパーティーもある。市の中心に作陽音楽大学*があるからこそ、そんなこともできる。

もちろん、津山の人たちも無理を承知でやっている。例えば、八十人必要な子供のコーラスが五十人しかいなかったり、大きな音楽ホールがないので体育館を代用するなど、問題は山積。しかし「何が何でもやる」というこの意気込み。これが今まで日本を面白く、強くしてきたのだ。

ただ、そんな「元気」の素晴らしい面も、斜めから見れば、津山の人々がマーラーやその題材のキリスト教の世界とか、ゲーテ「ファウスト」の救済の思想などを理解していたかという疑問だ。

というのは、音楽の中でも特にクラシックは、感性のみでは処理しきれない広大な世界や、自己と社会との関係を扱っており、それらを知り関心を持つことが面白さの奥深いところだからだ。だから、僕が合唱の仕上げのために二回津山に訪れた時には、ただ棒を振って声を整えるだけでなく、そんなことも話すわけだ。そうするうちに、子供のコーラスが「何かやりがいがありそうだ」と集中して歌うようになった。まさに感動モノだった。

「コンサートの結果は、マリーナというマーラーの孫、ミッチェルというマーラーの物知り、グランジュというマーラーの伝記作者が口をそろえて「今まで聴いた八番の中で一番感動した。今まで、ただうるさくてあまり好きではなかったのに」とのお褒めの言葉。第一部に対して第二部は演奏が室内楽的に考え抜かれており、京響もよかったとのことだった。

編注

＊一九九六年に倉敷市に移転、翌年くらしき作陽大学に改称。

指定通り

「指揮者のぬり絵」一九九四年十月二十九日　道義47歳

今、シカゴ・シンフォニー・オーケストラを振っています。伝統と実力に支えられたこのアメリカ・ビッグ5のひとつのオーケストラで、昨年四月に引き続きマーラーを振ります。二十二日の三回目の本番にはテノールのドミンゴも聴きに来てくれました（彼は今、シカゴのオペラで歌っているところです）。なぜ三回目かというと、ここは定期会員が多いので、単に同じプログラムを毎週三、四回繰り返しているのです。だから定期は年間三十種類のプログラムで九十～百二十回やる。ホールは大きくて収容能力があり、会員は約一万人ということです。年間予算は約四十億円（京響は八億円）。

この街は私の父が大学の授業料を稼ぐために、一九二〇年代に自動車工場でアルバイトした所なのですから、人間の運命とは不思議です。そういえば、京響のコンサートマスターの工藤君も、この近くで長く勉強していました。今、シカゴは本当に美しく良い街です。

ところで、京響は今月の初めに東京のオーチャードホールでバーンスタインのミュージカル「ミサ」を文化庁の主催で演奏しました。作品内容を日本人に伝えやすいように、主演の司祭

ドミンゴに褒められて照れる道義

役の衣装をデーモン小暮風にしたり、「創世記」の話を京都弁で意訳したりしたので、なんとバーンスタイン財団から大変な抗議文が送られてきました。
そしてまた、ここシカゴのオーケストラも、前半に演奏する現代曲で「歩く指定があるが困る。暗闇で暗譜して演奏せねばならないが、こんなことはしない」と組合の名で申し出。でもコンサートではその曲は大カッサイ。
保守的なのは京都だけではない？

時を超えるもの

「指揮者のぬり絵」一九九五年三月二十七日　道義48歳

私は今、演奏旅行先のロンドンのホテルでこの文を書いています。二十年前、この街を根城に、ヨーロッパを中心に渡り鳥指揮者生活を始めた頃を思い出しています。その頃自分を支えてくれたのは、「良い音楽をしたい。他の指揮者のできない表現で、人々に喜んでもらいたい。自分に深く専心することでもって、人々の心に入り込みたい。自分にはそれができる」という自負心でした。

今も生活の中心に音楽があるのは変わらない。でも、「いったい人生とは何なのだ」と疑い始め、五年前、東京中心の生活に飽き足らなくなり、自分が認められていた東京を離れ、ヨーロッパでの指揮活動を考えてパリにアパートを買った。

でもその一ヵ月後に京響から誘われた。その時は興味を感じなかったが、すぐに自分の心に問いただした。

すると——。「お前は日本人の指揮者なんだろう。それなのに、本気で日本の現実とかかわったことがあるのか。指揮者というのは、ただ棒を振るだけのものではないだろう」と、心が答えたのだった。

日本の中で、僕がむなしさを感じないで歩くことのできる唯一の街でもある京都（生まれ育った東京もそれに近い）。その街が、本当に豊かさを求める人々が作ってきた街なら、音楽もしっかり受け止められないはずがない、とも思って、音楽監督のポストを受け入れた。

京響は確かに音楽に専念できる場であるが、戦いの場でもある。

例えば、ある時、私は「市のお役人さんはセンスもないし、能力もない」と叫んだ。その時、全行政が怒った。井上はけしからん、辞めさせろ、とか、兵糧攻めにしろとかいう声が起こった。

しかし、新コンサートホールが完成に近づき、京響のフランチャイズを謳い、芸術振興財団をつくり、ホールをただの貸館にしないでビジョンを持って運営していこうとしているのも行政だ。また、もうすぐ創立四十年を迎える京響のために、内実のあるヨーロッパ演奏旅行をさせようという計画に「GO」のサインを出したのも行政だ。

行政は「すぐに」できない機構になっていると思うが、時間をかけてやっていけばすごいことができるのだ。

五年が経過したが、今パリのアパートは空っぽのまま。京都ではここの現在と未来にかかわっていると実感する。

市長選に立候補を考えた

道義49歳

「指揮者のぬり絵」　一九九六年二月十四日

とっても、まじめに、市長選に、立候補しようと考えた。

とは言っても、政治をやりたいわけではないのです。今の京都のあり方がこんな調子ではもったいなくて我慢できないし、日本全体の文化や芸術に対する京都の役割のふがいなさにも我慢ができなくて、なんとかしたくてなのです。

その勢いたるや、「人生なんか短いぞ。何が面白くて、せっかくの音楽の才能を、あたら市長選なぞにむざむざ明け渡すのか」という家族や親友の忠告や、「立てば保守系の（ばらばらな）票を割り、与党候補の敵になり、その上、野党候補の敵にもなりたくなくてもなるのだから、当選しなくては絶対にあかんのだぞ。一〇〇％勝つ見込みがなければ、やめた方がいい」という何人か――大臣経験者や信頼する経済人の方の意見なども袖にしてさえ、やる気になったほどだったのです。

何といってもこの二十年ほどは、ほとんどの選挙は投票率も低く、「政治」という言葉の響きそのものからして、夢も、ビジョンも、誇りも、うせているかのようだ。

そしてYen（円）以外に、日本から世界に向けて持っていって人々が喜ぶものが、とっても少ないようにさえ思える。さみしくないか？「関係なーい」か？

あなたの京都は日本に、世界に対して何もしていない（……ように見えるだけで、やってるぞと言われるでしょうけれど……）。できないなら、それだけのこと。できるのにやらないから、もったいないのだ。

京都は芸術文化、食べ物文化、そしてファッション文化で勝負していくべきだ。そのためにこそ街にハイテク工場を誘致するのだ。心配はいらない。公害や、殺風景なサビた、どでかい建物を考えるのは時代遅れ。ベンチャービジネスをそこで共に生まれさせるのだ。大企業は京都には似合わないし、日本が面白くなるのは、そんな中小ニュービジネスからではないか。そんな元気企業をブルーカラー、ホワイトカラーという従来の呼び方でなく、メタルカラーと呼ぶ時代がきている。何より大事なのは、太秦で培われた映像表現（芸術）がもっと活用されることだ。その作品が「映画」と呼ばれないとしてもよいではないか。当然、大学街でもある京都は、たくさんの専門学校群の街として機能しなければモッタイナイ！

考えてみれば大都市は、毎日片道に一時間以上を通勤時間に取られ、家族どうしの会話や心の余裕もなくしている。スプロール開発で郊外をぐじゃぐじゃにし、地方をつまらなくしてきたのが、田中角栄の列島改造論から始まった、間違った道だったのだ。街の中にたくさんの人々が美しく住めるように再考しなくては。

「なんのために」という大事な疑問から逃げて、「とりあえず」生きてきた終戦後からは、もうそろそろ卒業したい。それにＴＯＫＹＯにまかせておけばいいこともたくさんある。全世界はもっと別の夢を京都に描いているんです。期待されたら素直に応えましょうよ。市長は指揮者と同じ。機関車になる必要があります。新市長に期待します。僕も指揮に邁進します。

ドレスデンと比べると

「指揮者のぬり絵」 一九九七年三月十一日 道義50歳

この第二次大戦で徹底的に破壊され尽くした旧東ドイツの古い街ドレスデンで、ブラームス、シューマン、マーラー、そして今回のブルックナーといった、伝統的なドイツ・プログラムで指揮を続けて今年は三年目。また来年、再来年にも、この街に呼ばれます。

そこで、京響とこの街の交響楽団を比較してみます。面白いでしょうし、読む人によってはショックなくらい「文化」というもの、人々のコンセンサスの違いを感じられると思いますから。

四百年以上前からオーケストラのあった街と、四十年前からの京響を比べるのは「いかん」「間違っている」と言うなかれ。ドイツにも、他のヨーロッパの街にも、京響くらいの歴史しかない楽団も多い。でも、オーケストラを取り巻く社会状況は、恵まれたドレスデンと似たり寄ったりなのですから。

ドレスデンには国立歌劇場のオーケストラ「シュターツカペレ」と、シンフォニー専門のドレスデン・フィルの二つがあります。僕が指揮をしたのはフィルハーモニーの方です。

京響の来年度予算はだいたい九億円弱。そのうち事業費や練習場の管理費などを含めた額は一億六千万円。指揮者やソリスト代は最大で四千万円程度。一方、ドレスデン・フィルは約十四億五千万円の予算。このうち事業費は一億八千万円ぐらい。だから一流の指揮者やソリストをかなり呼べる。ミュンヘンやベルリンはケタ違い。その四、五倍で比較の対象外。

切符の値段は、日本ではお買い得の京響と比べても約二分の一。

ホールの定員は千八百ぐらい。建物と響きは、さすがに京都の方がずっとよい。さてさて肝心のオーケストラの程度はどうなんや？ と言われれば、ううう……。自分のオーケストラに、けちをつけられまへん。

いや、まじめな話、そういう比較は音楽にそぐわない。でもやっぱり、老舗の良さというのはどんなものにもある。「京都」と名付けると、なんかふらっと寄って来る人たちのことは、みなさんの方がご承知。「ウィーン」と付くとふらっとすることは、さすがになくなってきていますが。

さてさてさて。こう読んでこられて、「あなた」、今読んでおられる主体としてのあなたは、どう思われますか？ オーケストラに金かける？ そんなアホなことやめとき！ それより、もっと別なことに使いなはれ、と思いますか？

単年(たんねん)に仕事をする？

「指揮者のぬり絵」一九九七年四月十五日　道義50歳

私は新しい年度の前に、一年間の定期演奏会のプログラムとその目標や選曲理由などを、関西の芸能関係者に発表し続けてきた。少しでも京響のプレゼンスを感じてもらい、音楽と社会とのつながりを保つために必要だった。

八年目の今年、いつもは二月にするのが、できなかった。京響事務所が「ダメ」と言ったから。「まだ予算化されていない」。とはいえ、アカウンタビリティー（責任評価）から言えば私の怠慢。しかしどうにもならないのが、市議会が予算を承認するまで翌年度の予定を公にしてはいけないという「単年度予算」制度の壁。

例えば、みなさんもご存じの通り、京響は今年五月に初めてのヨーロッパ演奏旅行を「創立四十周年記念事業」として行う。そのことさえ市のマナ板に乗ったのは去年、「調査費」が認められてからのこと。現在の京響の国際的な実力や、他の日本の楽団が既に海外演奏を何回も成功させていることも考えると、これからは京響も隔年程度の割合で外国へ出かけて行っても悪くない。また、国際親善、文化交流……と考えても整合性のある海外演奏旅行であるけれど、そのためには実際は少なくとも三年先の予定を組むことが国際常識なのだ。

田邊朋之・前市長に何度もこの件でお願いした（……返事は何もなかった）。その上、市長選や地下鉄問題で、京響の話は後にズレ込むし、私は年間計画発表の時期にドイツに行っちゃったしで、どうでもいいことになってしまった。それで京響事務局は突然の海外旅行でいま七転八倒。

さーて。「おまちどーさま！　今年のテーマはハイ丼」。違った！「ハイドン」を定期の曲目に一曲は入れる。

京響も長年の夢のヨーロッパ旅行後、初心に帰り、ハイドンの何にも指示のない楽譜をどう読むかということ、人生の刺激的でない部分に王道があることを、きっと発見できると信じている。

本当は全部自分で振りたいくらい。というのも、ハイドン・シリーズにはある思いがある。十年前、東京のカザルスホールの完成記念に、新日本フィルハーモニー交響楽団が交響曲全百七曲を演奏する計画をした直後、新日本フィルの音楽監督を辞任したため、私は最初の二回だけで、後は何十人もの指揮者に文字通りバトンタッチしたのだった。それで「全曲演奏」の意味はほとんどなかったと思う。

この機会にちょっと耳打ち。みなさん知ってる？　私の京響音楽監督の契約は、なんと毎年毎年の「単年度」契約。七年前から、「あの人は来年でおしまいらしい」と毎年毎年うわさされ続けてきたことを。あはははは。今年もそう。

指揮者が本気で何かをする時に、十年以下で何ができるだろうか？

そういえば、私が三年前に書いた綿密な「京響十年計画」も、闇から闇に葬られようとしている。どうしてだ、京都よ。日本を引っ張った人たちの街で「あった」だけなのか？

人間に（京都に）残されたことで、今できること。それは芸術くらいしかないではないか。

古都ごとく経験になった八年間

「指揮者のぬり絵」 一九九八年三月三十日　道義51歳

京響とは八年続きました。直情径行の私です。二年もてばよいほうと言われていましたが、「忍」の一字を体深く刻みこんだ京都での指揮者としての経験は、人間井上道義として大変よい経験でした。いろいろな事件や演奏会を思い出します。

「音楽監督」「常任指揮者」の定義をはっきりさせ、仕事の内容と立場を理解してからの正式な契約。そのため披露演奏会は四月ではなく、真夏の京都会館という冷房もよく効かない中での異例のスタートでした。記念のテレホンカードの写真のため、鴨川にエンビ服で浸かって撮影したり、年間プログラムを関西の他のオーケストラに先駆けて発表したりしたのも、京響を人々にアピールするためでした。

ＫＢＳで演奏会を定期的に放送してもらうようになり、コンサートに来ない人にも少しずつオーケストラへの興味を持ってもらえるように努力しました。ＫＢＳも初めの頃は初心者の集団でガタガタでしたし、放送時間も深夜の眠い時間帯でした。経営危機の時もなんとか耐えて放送を継続してくださったスタッフ一同の情熱に守られての今日です。

放送のためのオーケストラであるN響を除けば、日本でテレビの定期放送枠を持っているオーケストラは京響のみ。すごいじゃないか！　最近は演奏内容もよいのだから、ぜひ他の地方にももっともっとオン・エアしてあげてほしい。

京都会館の悪音響に負けまいと始め、ひょうたんから駒の結果となったショスタコーヴィチ・シリーズは、京響の名声を日本全国にとどろかせました。京響の少ない事業費を逆手にとっての、アコーディオンやハーモニカなど変わった楽器のコンチェルト・シリーズとか、世界一のチェロ弾きヨーヨー・マ氏でもホールをいっぱいにできなかった弦楽器のコンチェルト・シリーズ。どうせいっぱいにならないなら話題でいっぱいにしようと始めたショスタコーヴィチなど現代曲ばかりのシリーズ。楽員さんからは嫌がられながらも敢行したバーンスタインのシアターピース「ミサ」は、楽員諸氏にとっていちばん心に残った作品と言われています。ただし、この公演は文化庁公演の東京だけで、京都ではできませんでした。何しろ東京の二公演で八千万円かかりましたから。

それから阪神大震災後の「はげましのコンサート」。音楽的にも大成功だったコルンゴルトの「死の都」は、古都（京都）＝死の都と重なると反対されたにもかかわらず実行した作品。八年前にはメシアンのトゥーランガリーラ交響曲でさえ、「あのヒュンヒュンピーピーという音のする曲」と言われ、「もう定期会員をやめる」という人々があり、京都の恐ろしいほどの保守性に驚いたものでした。振り返ってみると、今昔の感がします。そしてもう一つ。京響第

12歳の時のバレエ

（社長夫人として）は僕と三歳下の妹を連れて父を週末の五時頃会社に迎えに行き、当時銀座にあった「牡丹園」という中華料理レストランや「ローマイヤ」に繰り出した。それは食欲だけでない、特別な何かを満たしてくれる「銀座」を感じるためだった。

家の中では父の度を越したアルコール依存症が原因のひどい戦いを隠そうとしなかった両親も、なぜか毎土曜日には洋画を観に銀座や日比谷に出かけ、米語への父の飢餓感と母の聖心女学院からの憧れを満たしていたらしい。それは母にとって子供中心の毎日からの一時の避難でもあったに違いない。

そのうちに、いつか銀座は私自身にとっても出かけて行くに値する場所になった。日比谷公会堂のコンサート（その頃なんと公園内に駐車をしておけた）、日本楽器（現在のヤマハ）、山野楽器に楽譜やレコードを買いに行く、ロードショー映画を観に行くetc.。でも本気で音楽の勉強を始めてからは逆に銀座は遠い存在になった。都下の調布市の若葉町とやらの田舎の、しかしその頃は最高の教育をしてくれた音楽学校に入り浸り、努力の日々が続いたのだ。

年月は流れ、学生生活のすぐ後にはヨーロッパでのコンサート続きの生活となった。

そして三十歳で本格的に帰国し、日本で音楽活動を始めた頃、素敵な女優さんに巡り会い、デートをすることになってハタと困った。ふさわしい行くあてを知らないのだ！　困った。彼女に少々馬鹿にされたみたい。ああ、銀座××××とか○○○○とかを知っていたら……。

でも実は今も知らない。銀座は自分の懐で行く所ではない所が多くって。

驚いた記憶の一つに、二十五年前に或る大学の総長さんに連れられて行った最高級のクラブ。まあなんと美人さんの多いこと！　そしてその人たちとなぜか、ピーナツを遠くから口に投げ込む遊びなんかをやりまくる総長さんたち。もう一度今度は「青年心」に、「大人って意外とつまんないいんだなー」と感じ入ったものだった。

ところで最近は銀座にも劇場の素晴らしいものがいくつかできているのをとても嬉しく思っています。なぜって劇やコンサートの後、すなわちアフターシアターの時間、綺麗な商品をウインドーショッピングしながら歩くに値するのは、日本では銀座ぐらいしかないのだから。

どうぞ少なくとも夜十二時まではお店のシャッターをおろさないでください!!　日本の夜の代表、本家「東京銀座」として。

成城町

道義57歳

未発表自伝初稿より　二〇〇三年

世田谷区成城町は、一九六五年頃までは、駅前に広場があり、夏には盆踊りや屋台に人々が集まった。家から駅まで乗ってくる自転車は駅の裏や広場の隅に置いておけば済む程度の数だった。駅から自転車でせいぜい一〇分程度の距離にしか人は家を建てなかったのだ。それより先は不便で、都心に通うために住む家を建てるべき意味のある所ではなかったし、大切な農地だった。

六〇年代まではやさしく包んでくれる個性的な町だった成城が、七〇年頃から「どこにでもあるただの町」になってしまったことが残念だ。

成城が今のようになってしまったのは……

ひとつには、避けられなかった急激な車社会の結果。

ひとつには、戦後の日本の行き過ぎた平等主義による過重な相続税の結果。

ひとつには、戦争で多くの資産を失いながらもあの環境を捨てられない人が土地を切り売りしていったことにも因るだろう。

ごたごたした町へと大きく変貌したのは、小田急電鉄が成城学園前に急行を停め乗換駅にしたからだ。それは商店街中心の住民運動によって先導された無責任な成城町自治会の決定だった。いや、それは言い過ぎかもしれない。日本には本当の意味でのコミュニティーの思想が、今でもどこにもほとんどないのだから。

しかし結果的に見れば、住民の（特に六〇年代以後に住み始めた人々の）真の意味での町への愛情の欠如、町の歴史への認識の欠如は、成城町だけでなく我が国の全ての町、京都市内や金沢市内にも当てはまる。

「便利さ」というものへの人間の激しい欲望は、長い目で見て、町を無個性化してしまい、それぞれの町の美しさを捨ててしまいがちだ。便利さと近視眼的な合理性が結果的に不動産価値さえ落としてしまうことを見通せなかった、六〇年代に大人だった人たちの無責任な選択。その頃の町の中心世代はせっかく築いた成城という町が崩されることを気にもしなかったし、新たに入ってきた人たちは成城を壊しながら、成城という表面的なブランドに憧れているだけ。

僕は、成城という所はやはり、成城「学園」を中心に置いた町として在るべきで、電車は不便でよく（通う住民も学生も一日に朝と夕方二回しか利用しないのだから）、乗換駅として大きくし沢山の人を町にあふれさせ、町をニギヤカにする必要などなかったと考える。都心に通うための郊外の町としては静けさを追求しなければならないし、あちらこちらからバスを集める交通拠点になぞ、なる必要は全くなかったと考える。それらの役目は下北沢、登戸などの鉄道交差駅や、環状道路と交差する千歳船橋、代々木八幡などが負うべきだ。

何故こんな自明なことを東京都も世田谷区も計画しなかったのだろうか？　人々は何故そのために必要な条例や法律を作ろうともしないのだろう？　自由というものを誤解しているといえないか。自由と気ままとはわけが違う。内面の自由、発言の自由はいくらあってもいいだろうが、街並みや公の景色に個人が好き勝手に塗りたくったりすることが自由と考えるのは幼稚だ。

電鉄への急行停車の懇願は単に商店街がしただけであって、学生たちでも住民でもない。しかしあの時代に、誰も反対の声を上げなかった。

もっと言えば、郊外へ郊外へと人を住まわせ利益を上げたのは日本中の電鉄会社だ。言う言葉もない。

成城学園前駅は地下化され大きな変化を遂げた。その背景にある成城という町は今や崩壊し、どんなに努力してもにせの目白になるのがせいぜいだ。

このように「昔は良かった」ことを書くことが、くそジジイの独り言と捉えられることになるのも間違っている。あなた！「恵まれた音楽家？　が、何を言うか！」と思ってない？

今住んでいる代々木上原は、最近拡張された井の頭通りのすっきりとした景観が素晴らしい。電信柱はないし、道の両脇の家並みもそろいつつある。でもその程度の都市計画は終戦直後にやればよかったのだ。

多摩の丘にパルテノン!?

「パルテノン多摩二十五周年記念」二〇一二年四月　　道義65歳

「パルテノン多摩」という名を初めて聞いた時、なんとも大げさで恥ずかしくないか？　と感じたが、実際には確かに丘の上のそれはその名にふさわしいものであった。あの頃は日本全体が未来のために生きていた時代だった。

都市計画がお粗末なこの国には珍しく、多摩は歴史を変えた。畑を住宅に、駅前を百貨店に、丘をパルテノンに！　創りかえたのだ。そしてそこでは、新日本フィルを中心に据えた音楽会、ホールが旗を振ってのバレエ教室等が企てられる。そこには哲学があり、未来を見据えての新しい文化的枠組みを感じさせる。

多摩ニュータウンも次世代に引き継ぐ時代になっている。現実の人々には生活感のない着物の文化や、マイケル・ジャクソンをまねたダンス等ではなく、グローバルな先端的現代社会の文化主導をさらに強く提案し続けるべきだ。

五十年前、多摩丘陵をヘルメットもかぶらず（かぶる法律がなかった50ｃｃバイクで）走り回っていたのが昨日のような……井上道義です。

私有権

「未来だった今より」 二〇一一年十二月十四日 道義64歳

街の美しさとは何だろうか？ 「美しく見える」というのは何故なんだろうか？ 十月に行って指揮をした平壌では、空を覆うクモの巣のような電線は地中化でほとんど見えなかった。パリ、ロンドン、ペテルブルク、ウィーンなど、その昔、皇帝や大王など今では悪の象徴という響きにも聞こえる「独裁者、または独裁政権」によってつくられた街は美しい。それはある傾向、ある時代の材料とテクノロジーでつくられた統一感からくるものだ。徳川時代の江戸、平安朝の京都なども、見て美しいものではなかったか？

翻って、私有財産権に裏打ちされた今の日本で、美しいと言える「大都市」はあるだろうか？ そもそも人々は街に美しさを求めているのだろうか？ 便利さをトコトン追うが、客観的に美しく見える所はほとんどない。僕は東京に住んでいるが、いい環境に住もうとすると当然大変なコストがかかる。その上、たとえそれが田園調布などであったとしても、そこに見合う屋敷は相続税で三代ともたないし、今やそれを有効に利用する大きな家族そのものがない。それに「家を建てるため」一生かけて稼ぐなんて本末転倒だ。人生はそんなものじゃないはずだ。

本来、土地は公共物に近いものでよいのだ。特に都市部では英国式に四十五年や九十年の権利を買うようにするのが賢い。自分のものであって人のものでもあることは、人間関係にあってもあるべき姿でしょ？「あなた」という存在は親のものでもないし、恋人や配偶者のものでもないし、子供のものでもなく、自分だけのものでもないはずだから。

美しさは誰かのものではないのだ！

ナント

道義65歳

「未来だった今より」二〇一二年二月十五日

先週、フランスのナント市で、スクリアビン（ロシアの作曲家）の、響きに合わせて照明などを変える指定がある作品を、ロシアのオーケストラで演奏した。ナントはラ・フォル・ジュルネ（熱狂の日）発祥の地だが、ここでは寒い時期の音楽祭だ。雪こそ降らないが氷点下の日が続くので、逆にすることがない？　ためか、多くの客がやってくる。朝は八時まで暗いが音楽祭は九時から。夜は五時には真っ暗だが十一時まで。文字通りFolle＝狂熱の催しだ。この街で有名なのは路面電車とバスの融合。中心部は車が入れず、人がゆったり歩けるようになっている。

北陸も、豊かな北陸電力の電気で、市電の電気代も無料、電気自動車の充電も無料にしたら、世の中変わらないか？　他の地方とのバランスや遠い未来を考えないFolleなおとぎ話とは思わない。

近頃の日本は、車で行ける店のために街道沿いは電柱と電線のクモの巣状態で汚くバラバラだ。街であれ政治であれ、しっかりとした考え方と中心があるのが大事で素敵なこと。街に出ていって遊ぶことは飲み食いや買い物に行くだけでないのだ。子供の頃遊ぶことが生きる全てであったように、大人になって、たぶん定年にでもなってから、本当に生きる意味を見つけるためにこそ、街が役に立たないと寂しすぎる。その際、夫婦や家族でなくてもいい、誰か一緒に行ける人がいることがすごく大事なんだろう。

金沢のラ・フォル・ジュルネは風も薫る五月。家族と一緒の子供たちがたくさん参加できる無料吹奏楽や野外コンサートがあり、街なかで聞こえる金沢方式は、季節も優しく、気持ちよく、アジア的な未来志向だと思う。

大阪

「道義より」　二〇一六年六月二十五日　　道義69歳

俺は長らく大阪という街は好きではないと公言していたが、三年前、大フィルの指揮者を頼まれてからは、この街には人懐っこさがあり、僕の大好きな南イタリア＝ラテン的な気質に似ていて、そういうのがとても好き。

例えばエスカレーターの逆向きから「井上さん、がんばってねー」とおっさん（おばちゃんではだめ）が触ってきたり、遠慮なく話しかけてきたりするのを「イイ！」と思う。東京はみんな目を合わせない。

そういう人のいる街、大阪、のオーケストラを正直に表現したい！　と言い続けているが、今回練習に行く時、メチャ楽しい出来事があった。

俺もジジイなんで今回ブルックナーをやる時は逆に全身白の上下で気分を盛り上げて東京から西成[*1]にはるばるやってきて、しょうもないコンビニまでガム（唾液が出ない[*2]俺には必需品）を買いに行った帰り、向こうから来た、草履はいて、ボロい麦わら帽子みたいなのをかぶったタバコ臭いオッサン爺に、ニコニコしながらちょっと肩に触られ、「にいさ～ん、いいね、垢抜けてるぜ〜い」と言われたんだ。ホメられるとフワッと疲れが取れる俺も単純。ちょっとだけ「西成」もいいとこあると思ったりして、ちょっと好きかも……。それなり、に！

編注
＊1 大フィルの練習場、大阪フィルハーモニー会館がある。
＊2 咽頭がん治療の後遺症。

Ⅳ 交差点

二人の巨匠と私――クーベリック、チェリビダッケ追悼

京都新聞夕刊　一九九六年年八月二十二日

道義49歳

ラファエル・クーベリックとセルジュ・チェリビダッケ。現代の指揮界を支えてきた二人の巨匠が相次いで亡くなった。「巨匠」とは何だ、誰が決めるんだ、という議論はある。たくさんの人に芸術的な影響を与える人、そして影響を受けた人がそう呼ぶ名称。二人は「マエストロ」の名にふさわしい人だった。

チェコのクーベリックは戦後、東欧から自由を求めて亡命した多くの音楽家たちとシカゴ交響楽団の下地を作った。四十年ぶりにシカゴ響の定期演奏会を振ろうとした時に体調をこわし、僕が代わりに、マーラーの「第九」という、人々がクーベリックのために用意した名曲中の名曲で、アメリカ・デビューすることになったという因縁がある。マエストロは自筆で「コンサートがうまくいき、あなたの人生が大きく羽ばたくように祈っている」とファックスをくださった。僕はあの演奏で、よい返事ができたと信じている。実際、僕はクーベリックのことをふと演奏中に思ったりしながら振ったのだ。

もう一人のチェリビダッケは、とても深い関係を持てた数少ない大指揮者だ。二十三歳の時、

ハノーバーでスウェーデン放送響を振っていたマエストロに、僕は同性として一生に一度の一目ぼれ。

それからシュトゥットガルトやイタリアのボローニャで開かれていたチェリの「指揮講習会」に出席したり、練習を山ほど見たり、昔話を聞いたりした。一番面白かったのは、三十年ぶりに生まれ育ったルーマニアに帰ってのコンサートの後、ものすごい巨体のオバサンがやけに感激して抱きついてくるので困った。それが昔、村中でゴシップになった初恋の彼女だった、というホロ苦い話だ。

でも何より大事なのは、チェリも、我が師齋藤秀雄先生と同じように、音楽を、感覚、感情、直観……におんぶした「アート」というものを、現象学として捉え直し、道楽や快楽と一線を画すものとして、命をかけて、あらゆる知性を動員して分析していたことだ。

あまりに高い知性と、男性的魅力と、カリスマ性が加わった彼に、僕は一時期自分を失い、一挙一動までチェリのまねをして、オーケストラに馬鹿にされたことさえある。

それだけ大好きだったマエストロが、ある時、僕にキバをむいた。ハンブルクでのコンサートの後、会いに行って、「先生、私は明日ここで別のオケの指揮をするんです」と喜んでもらえるつもりで言ったら、「去れ、もう会いたくない。お前はまだ勉強も終わっていないのに、何を考えているんだ！」とドアを閉められた。二十六歳の頃だった。俺だって食っていかなきゃいかんのに……。それから二十年して、なぜかチェリは、常任指揮者だったミュンヘン・フィ

チェリビダッケの指導を受ける

ルに僕を招き、ニコニコして迎えてくれた。でも僕には、心の底にあるあの時の傷のせいか、あの昔の「よい生徒」だった僕と大先生だった天才との甘い思い出は、もう帰ってこなかった。

チェリビダッケは一度もアメリカのオケを振っていない。クーベリックもシカゴ以外のアメリカではほとんど活動しなかった。二人とも骨のある人だった。今は「骨のある人」が、アメリカでも日本でも音楽ができる時代だ。平和を大切にしたい。

チェリビダッケの音楽と彼自身

CLASSIC 21 MEMBERS' NEWS April & June 1999　道義52歳

五十八歳のチェリビダッケに偶然初めて遭遇したのは、僕が二十三歳の時、一九七〇年に桐朋学園弦楽オーケストラの指揮者兼鍵盤奏者兼打楽器奏者兼齋藤秀雄先生のおもり役として旅行中、ハノーバーのホールでだった。オーケストラはスウェーデン放送交響楽団。曲はメインがプロコフィエフの「ロメオとジュリエット」だった。

惚れ込んでしまったと感じた。相手は男だし、父親とも言える歳なのにだ。彼はもちろん外見も非常にカッコウよかった。でも問題は彼全体の存在感を超えるほどの、個性的な音楽作りに唖然としたのだ。たくさんの人がファンとしてこんな経験をしているだろう。ただし僕は指揮者になろうという男だったから、影響は後を引いた。たぶん今も。

その時既に僕が、レコード等ではなく現実に目と耳で知っていた指揮者には、日本の朝比奈隆(その頃はまだひどい指揮者だった。失礼!)、渡邉暁雄、近衛秀麿、小澤征爾から、カラヤン、バーンスタイン、ベーム、クリュイタンス、モントゥー、ストコフスキー、ミュンシュ、ジュリーニ等々がいた。しかし何が違うって、チェリさんほど何事にも徹底した「人間」はいなかった。いや、この言い方は間違いだろう。彼ほど徹底して個性的な音楽作りをする「指揮者」はいなかったと言わねばなるまい。音楽家が音楽家を尊敬したり褒めあげるのに人間性だけを問題とするのは実は一番その人を馬鹿にしたやり方だから。

三年後、二十六歳の頃僕はチェリビダッケのプローベを毎日のように見ていた。その頃から既に何人かのオッカケが僕以外にもいたが、ある時チェリさんに、イタリアのボローニャで丸々一ヵ月間オーケストラを使って講習会を開くから来い、と言われて飛んで行った。

でも実は、その時既に僕は二十四歳でスカラ座での指揮者コンクールに優勝していて、その頃は曲がりなりにもとても良い仕事も来始めていて、人には「音の猛獣使い」と言われてさえいたので、またただの生徒になることをマネージャーには反対された。「お前殺されるぞ！大丈夫か？」と。既にその頃からチェリの若芽摘みは有名だった。「大丈夫さ。殺されるように見えるか？ それに俺の命だよ」と言って正式に試験を受けて講習会に参加した。

実はその頃の僕は悩みっぱなしだったのだ。

留学しようとヨーロッパにちょっと来て、コンクールをためしに受けたら一等になり、得意で天狗の極致。指揮者になりたかった夢が二十四でかなって、もう指揮をやめたかったくらい。努力してがんばって世界的になるなんて野心はなかった。なれる人がなればいい世界と思っていたし。基本的に何かもう一つ合点のいかない仕事だと感じていた。でもそんなに簡単に夢がかなうほど人生は甘くないはずだし、指揮や音楽だってそんなに底の浅いものであるはずがない、今こそ勉強し直さなくてはいけないという強迫観念にさいなまれていた頃だった。

ああ、それなのにチェリは褒めちぎってくれたのだ。

ただし「生徒」として。そう、「音楽家」「プロの指揮者」としてではなく。

楽しい話やとてもためになる話が食事の合間や講習の間に、七ヵ国語を操れる彼の口から、
そしてすごく上手いピアノを使って、語られた。

その頃彼が普段のカリスマを突然グチョグチョに崩す瞬間があった。四歳だった彼の一人息子が紛れ込んだ時だった。

チェリビダッケと

その彼が、今CDリリースを許可し、チェリのドキュメント・フィルムを出しているわけだけど。その頃のチェリは死んでもCDは出さないと言っていた。「あなたの好きな息子が大人になって、お父さんの素晴らしさを聴くことができなくなってもですか?」と聞くと、「それは仕方がないことであるし、間違った記録を残すことこそもっと大きな罪だ」と答えていたのだが……。

この言葉に表れているように、彼が孤高の境地に登っていけたのも、自分にも人にも、音楽を演奏するための態度と準備に、怖ろしいばかりの厳しさを要求したからだ。

自分に厳しかったからこそレパートリーをせばめ、音楽は楽譜にあらず、音と音との関係である、という、誰が考えても非常に正しい理論に身を捧げ、音楽をただのエンターテインメントからも、音楽家の食い扶持扱いからも切り離していった。しかしその態度は誰にとってもの両刃の剣であった。徹底的に自分の信ずる音楽観に賛同を得ようとし、かなわぬ時には相手を全否定するほど激しくののしった。晩年になるに従って少なくはなっていったが。後年僕が五十歳になった頃、ミュンヘン・フィルの指揮をした時にも彼の練習を見ることができたが、何せ進まないのだ。ある箇所の問題を作品全体への関わりとして徹底的にこだわることは正しいのだが、楽員は音楽的に能力の高い人からただ座っている人まで、千差万別なのだ。やれる人にとっては、何度も繰り返すことの理不尽さ、ただ座り本番だけに生き返る人々にとっては、即興性という人間の持つ素晴らしい音楽的能力を減殺してでも完全主義へ帰依するチェリの息苦しい姿勢への、反感が渦巻いていた。勿論どちらのタイプのメンバーもチェリのやりたいことをやってみたいのだ。どうしてもう少し人間の善意とか、偶然でもいいから演奏中の一致団結する気持ちを信じないのか、僕には不思議であった。音楽は、ベートーベンが言わずとも哲学でもあるのだが、チェリはたくさんの音楽家の集合体であるオーケストラを前にしながら、始終、音の意味、音の根源、音楽の神秘性に向かって指揮していた。そのような態度は、一日に一回、方向性として暗示するのが理想なのだが。
そんな姿勢は、一流と言われるオーケストラとは長く続かない原因を含んでいる。ベルリンでもカラヤンの常識的な練習方法（ただし僕はカラヤンの練習方法は世界一ほんとに天才で、素晴らしく上手かったと断言します）に比して、その異常とも言える長期にわたるリハーサルの要求、レコーディングへの懐疑、また楽員を上から見下ろすことをあからさまにした態度などで、当然のことながら関係はすぐに断ち切られた。その後ロンドン・シンフォニーは大変な忍耐力を払ってチェリとの音楽作りにかなり励んだ。しかし僕の判断では、ロンドン・シンフォニーが結果的に読響ともシュトゥットガルト放送響とも同じ音がしていたと思うが、それでよいとは思えない。

僕はチェリの芸術理論に賛成だし、技術的理論にも、逆立ちさえすれば一〇〇％理解できる。ただどうしても納得いかない点がある。僕は、音楽は生きた人間がやるもので、その「人間」は、究極的にはたとえ「無」の中にでも、喜びを求める存在である、と捉えている。それは、本番であれ、練習であれ、演奏する喜び、表現する喜び、があっての努力、忍耐、勉強だと。その点チェリさんは、晩年でこそ変わってきたが、何処のオーケストラでも楽員の自発性を殺しすぎていたと感じる。音楽家になろうともがいている時期の若い人間に対しても、「最期の一突き」的な必殺のコメントを進呈することが多かった。僕にもそれはあり、その言葉の後では今までの尊敬も、憧れも全て色あせた。それは、「お前は、まだ仕事をしてはならない。勉強しなければならないことだらけなくせに！」であった。

これは間違った言葉だ。勉強は一生続くのが芸術家だから！

でもいい。僕がどう考えようと彼は大して困らない。結論が早すぎるが、この文の行き着く先はここだ。チェリビダッケは彼にしかできないやり方で芸術に対峙した。その方法は別の人間が模倣することが可能なものではなく、毒を含んでいる。——絶対的な存在（神の創造物と捉えるかは別として）が人にあらわしたメッセージが音楽だとして、そこに近づく方法をチェリはチェリなりに見つけた。それを生徒たちがそのまま彼の方法で「絶対」に近づこうとしても、対象は蜃気楼のように逃げていくのだ。彼の発見した真理に近づく道に置かれた調合薬はとても効き目のある薬であるが、習慣性から抜け出せないものであった。

しかし彼の音楽やその目標とする態度は、僕が七年間どっぷり浸かった桐朋での授業や、音楽の勉強法で欠けていた部分を、白日のもとに引きずり出した。僕には「技法」や、よく言う「音楽性」はあっても、それを培う哲学が、歴史が、神が、なおざりにされていた。まるで戦後の日本が五十年経ってハタと気がついたようなことと、きっと同じなのだった。「何のために」という問いかけに応えようとすることから、逃げてきたのだった。

今その問いかけを、僕は音楽を通してやっている。

きっと僕は、齋藤秀雄とチェリさんという二人の教師であり反面教師にずっとかかわりながら、音楽を続けているらしい。父が二人いるように。……ん？　四人になるか。

どこまでが「先生」でどこからが「おっさん」か――朝比奈隆の死を悼む

道義55歳

「音楽現代」二〇〇二年三月号

人はコンサートに行って、いったいどれだけ音楽を聴こうとしているのか。わからない。

朝比奈さんの音楽会にはかなりの割合で若い男性たちが好んで聴きに行き、そのため、時にはすがすがしく、時にはむさくるしく感じられた。

人々の表情には、時には、まっとうに歳をとっていく父親を見るような喜ばしさがあったが、時にはセレモニーに参加するのか音楽を聴きに来ているのかわからないこともあった。

僕にとっての朝比奈先生は、どこまでが「先生」で、どこからが「さん」で、どこからが「おっさん」だったのかわからない。

今僕はそれを知りたい、解明したい、整理したい。

最近とみに人気のある背中のまるまった変わり者のピアニストは、ほとんど一曲でテレビが偶像化し、それをまるで演歌歌手のように繰り返し繰り返し、日本中席巻している。

テレビにのせやすい人生のドラマを求められている彼女は、十分それに値するストーリーを持ち、演じてもいる。

また先輩、小澤征爾は、朝比奈さんに対する賛辞を口にしたことがないと思われるが、当の小澤さんに人々は、スクーターでヨーロッパ一人旅したことやN響事件といった背景をなしに、彼の音楽を聴いているだろうか？

朝比奈さんはどうだったか？　比べてみてはいけないか？

確かに僕はいくつかのコンサートで朝比奈先生の音楽に感動し、またいくつかのコンサートで途中で席を立った。ただし前者が後者を上回る記憶を刻んでくれたから、今こうして文を書いている。

ベートーベンとブルックナーにおいて（後者は二十年ほど前に評論家の宇野功芳氏が神になぞらえたような賛辞を書きつづってから）、ギュンター・ヴァント、セルジュ・チェリビダッケに並ぶ扱いさえ受けている。

どういうわけで、芸術家の年寄りは神様になってしまうのか？

リストラで捨てられて行く場もなく、自分のいのちを生かせる場もない、どこにでもいる年寄りと、扱いがあまりに違うではないか！

……マテヨ、芸術家で年寄りでも神様扱いされない人も大勢いる。そこに横たわる線引きは何なのか？

人々は、その存在が単に死に近い人だから、その年寄りの芸術を誤って愛してしまったのか？

そうかもしれない。そう。でも人の考える愛には誤りがないと誰が言えるのだ？　愛情とは、人間の他の行動と同じで、間違いだらけではないか！

きっとこんなこと、僕が大声で言わなくともみんな知っていて、だからこそみんなで「そっとしておいてる」のだろうけれど。

「間違っていない、正しい」と思えること、「信じられること」。その人が主観で、その時そう感じられること、が、まあ我々が日常に使っている「愛」というものでしょう。

そうでないほんまものが、キリストの言う愛、仏陀の言う慈悲、ヒンドゥーで言う信愛（モハメッドは戒律を守ったらあの世で神に愛されると言うから、この世に愛はないようだ）にはあるらしい。

少し寄り道をしたけれど、たとえ音楽会でなく、ＣＤなどで聴いても、人が「音楽だけを聴く」のは至難の業だ。日本には、それを強く志向して、顔も隠し、具体的な台詞もあえて判り難くした、能というものがあるから、このイメージはわかりやすいでしょう。

クラシックによく言われる、敷居の高さ、というのも実はそこにある。

美、の本質のみをあらわにしようとすると、どうしても人を日常から引き離そうとする力が必要とされる。愛の本当の姿もそこいらに簡単に見つからないのと同様に（実は、そこいらにいくらもあるのだろうし、見えない、感じられない、などというのは、我々の側の問題だろうけれど）。理想と現実、虚像と実像、自己認識と他者からの目。特に近頃はテレビの影響も強く、人はすぐれた人を自分の高さに引きずり下ろすことに躍起になって、そこに安心を求めているようにさえ感じられる。

僕は、朝比奈さんが昔話や音楽界の話に猥談を交えて話をしていたらしい指揮者協会の温泉旅行には一度も出席しなかったが（そちらの談義ならあたしゃ自分でできるから人の話は要らない！）、実際ベートーベンとブルックナーという、近そうで実はとても遠い二つの世界に自分の世界を見つけた「タカシさん」は、人間として、ベートーベンの交響曲のようにエゴが強い人であったのか、ブルックナーの交響曲のように彼岸を見つめ、生の証拠の大モニュメントを雲の上に（砂の上ではない）築き上げたかった夢想家だったのか、実は僕は全然知らない。

でもそういうことは個人的にタカシさんを愛する人が知ればいいことだと思うし、僕の中の「朝比奈先生」は、先生が非常に上手く演じてくれた、老後も立派に背筋を伸ばした健康な父親、先輩、文字通りの大マエストロ、で十分であって、ある時代に精一杯自分の求めた虚像に向かって実像を育て上げ生き抜いた大ロマンチストとして、これからも敬愛し続けようと思う。

私には、齋藤秀雄という恩師がいる。彼は実に才能ある教師であった。今、齋藤記念オーケストラという名で、世にもまれな面白い非日常的な楽団？　がある。

朝比奈隆は、自分で土にまみれながら大阪フィルハーモニー交響楽団を作り、大阪という逆境でそれを守り続けた。

正攻法で育ってきたこの底力のあるオーケストラ、大フィル。とっくに完全に市場開放された激しい競争の中、実力が今や世界レベルな日本のオーケストラ界で、大阪がこれから大フィルの個性と魅力をさらに伸ばせない時、大阪は［府］という名を名実ともに返上し、誇りのないただのお笑いと、遊園地のある商業［県］にならねばならないだろう。

ベルギーの、昔栄えた運河の商業都市ブルージュが、今静かに過去の美しさをたたえてたそがれているように。

まてよ、だめだ、大阪の街のどこが後世に残るほど美しいのか。大フィルひとつのほうが大阪全体より美しいでっせ。

それに、大してお金がなくとも美しいものは人の頭の中にあるはずでっせ。頭と心が生んだものしか人間は形にできない。美しくない街はそこに住む人々の脳と心の問題だろう。

朝比奈は大阪と、本当にかかわったのだろうか？

音楽への純粋な愛と喜び――追悼クラウディオ・アバド氏

産経新聞大阪版　二〇一四年一月二十七日　道義67歳

マエストロ、アバドの追悼文……なんともやるせない。

世界中のトップ・オーケストラの音楽監督や首席指揮者を務めたアバド。ミラノ・スカラ座、ウィーン国立歌劇場、ベルリン・フィルハーモニー管弦楽団……。それだけでなく多くの新しい団体、ヨーロッパ中の生え抜きの若者を集めたグスタフ・マーラー・ユーゲント・オーケストラを創設した。彼らが成人していくと、マーラー・チェンバー・オーケストラと、時代を遡るように小さなアンサンブル形態へも移った。彼の素晴らしさは今考えると、そのような開拓魂にあったようだが、若い頃の僕にはそのことがちっともわからなかった。

彼は、僕が二十四歳の頃にスカラ座主催の指揮者コンクールで優勝して、スカラ座やコンサートに出始めた時期、多くの道を作ってくれた恩人だ。写真はリゲティの「アトモスフェール」を振った時、本番でクライマックスがズレた時「あれは君の棒が何拍子でなければいけないところ、これこれこうなったからそうなったのだ」と楽屋で楽譜も見ないで指摘され、「こりゃ恐ろしい。すべてお見通しで！」とうめいた頃のスナップ。最近ではダニエル・ハーディング

なども彼にたくさん背中を押してもらっている。

野心がこれっぽっちもなく、指揮者とオーケストラとの関係を近代的なものにしようとした。時には必要な形としての主従関係さえも取り払おうとしているようにも感じられた。しかし僕は齋藤秀雄、チェリビダッケなどの弟子と自認しているから、彼の抽象的すぎる音楽語法、文学的なやり取りの少ない練習法に常に違和感があった。

特に何を言いたいかわからないベートーベン、モーツァルト、ブラームスなどの演奏の後、生意気にも面と向かって「せっかくベルリン・フィルを振っているのに、なぜ自分のやりたいことを付け加えないのですか」と言ったりしたものだった。そうして僕は、自分から離れてしまった……。

エリート音楽一家の家柄、大家であった叔父の研究成果の実践、音楽院の学長のお兄さんや、オペラ演出家の息子などのことをひっくるめ、その豊かさを斜め目線でしか見られなかった自分は今考えると情けない。指揮者の中であんなに素直で裏がない人はいなかったのに。

癌で手術の後すっかり痩せても、スイスやイタリア、そしてベネズエラまで行って後進のために身を捧げていたのが、僕には痛々しく……、さらに遠ざけてしまった。

日本語では巨匠と訳し、畏怖し憧れるカリスマとしての「マエストロ」という存在。彼はそんな形だけの偉さではなく、音楽ができる喜びと人の間の愛を尊び、サルデーニャの自然を愛した。まるで彼が傾倒したイタリアオペラの大家ヴェルディと同様に。人生の王道ではないか。

牛を食べ、時を食べて

「指揮者のぬり絵」一九九六年四月二十七日　道義49歳

ロンドンに行ってきました。イギリス中が狂牛病で少々ヒステリックになっていて驚いた。英国人は何事にもオーバー・リアクションしないと思っていたが、間違っていたのかもしれない。なんと、僕の泊まったホテルには牛肉がなかったのだ。もちろんロンドン中のホテルがそうだとは思いませんけれど。人は「動物」を殺して食べて生きているわけで、神様は時々このようにして、その事実を忘れさせないようにしているのだろう、と思いたい。

さて、今回はロイヤル・フィルハーモニーを振って、マーラーの第二シンフォニー「復活」を演奏してきました。会場はロイヤル・アルバートホールといって、今は「プロムス」という呼び名の夏のプロムナード・コンサートのメッカとして有名な多目的ホールで、一八七一年に完成している。

昔両国にあった旧国技館のような大ドームの建物で、中はすりばち状になっている。正面に英国一という巨大なパイプオルガンがあり、平土間のイスを取り外せる典型的なアリーナ型ホールで、オーケストラを囲む席数は五千五百まで可能だ。こうしたスタイルのホールとしては一番古いという。時には大相撲やアイススケート、テニスやサーカスと、何でもやるが、奇跡的に音が良い。楽屋やロビーには古いポスターが額に入れて飾ってあり、中にはドイツ皇帝を迎えての式典（第一次大戦前？）とか、戦災を受けて一九四一年に現在のアルバートホールに引っ越してきた時のポスターとかもある。

確かにガタがきている。そのためだろう、練習中にもどこからともなく、ドリルの音、金ヅチを打つ音、掃除機の音はするし、照明も思うようになっていなかったり……。僕は我慢ができなくなり、「これでもロンドンか？」と休憩を要求したりしたため、なんと練習の最後には時間が足りなくなってしまった。

一秒も時間を延長しないことで有名なロンドンのオケに奇跡が起こった。「五分ぐらいなら延長していい」と楽員代表が言ってくれたのだ。外国のオケとの僕の長い経験でも全く初めてのこと。そんなこんなで、ロイヤル・フィルハーモニーとロンドン・シンフォニー・コーラスの共同によるコンサートは大変良い結果を生むことができた。

このところ僕は「市長選に立つ」などと言うほど、*「京都＝日本」にこだわっている。僕の少々燃えすぎの気持ちに応えてくれている京響も、そのような緊急の場合のミュージシャンシップではロンドンのオーケストラに負けてはいない。

もちろん仕事が世界一早いロンドンのオケのように、京響が一日の練習だけでマーラーの「復活」をやってしまうほどのオーケストラになるのには、時間がかかるかもしれない。しかし本当はそのこと自体は良いことではない。練習時間は十分取る。それは良い結果を生む条件でもある。もちろん曲目にもよるし、何より有能な指揮者が意味ある練習をすればだけど。
クラシック音楽をやっていると、時間が、どれだけ大切かということ、神が与えた最も貴重な贈り物なのだということを、いつも感じさせられる。

編注
＊本書《Ⅲ 街から街へ「市長選に立候補を考えた」》参照。

平壌で指揮

「未来だった今より」二〇一一年十二月七日　道義64歳

北朝鮮の国立交響楽団に招待され、十月の第一週に平壌で、コリオラン序曲、現地のソリスト、チョン・ヨンヒのバイオリンでメンデルスゾーンのコンチェルト、それにドボルザークの「新世界より」を振りました。北朝鮮は一六二ヵ国と国交があるそうですが、日本とはありません。躊躇しましたが、間に入った人に信用がおけたので、勇気を持って行きました。

結論は「百聞は一見にしかず」でした。私のHP（michiyoshi-inoue.com）で動画を公開するつもりですが、オーケストラはなかなかの実力で、楽団員は一徹な感じの男性がほとんど。ホール環境も楽器も一流で、生活の優遇もされている。三十三歳で才能のあるチェ・ジュヒョク君の指揮も見ました。短い訪問でしたし、プリンセス・テンコー*ほどではないにしろVIP待遇でしたから、見えたものだけ、表面を見ただけで、事実を軽々しく決めつける気はありません。しかし、外も自由に歩けたし、監視の目もなく、通訳は誰とでも話をさせてくれました。

こちらに流される情報も、体制や常識の違いから生じる違和感を、常に悪意を持っているように曲解してはいけないなと感じました。少なくとも、現在の平壌市民に対する僕の印象は、若い頃に訪れた一九八〇年代のチャウシェスク時代のルーマニアやブレジネフ時代のソ連の状況とは違います。国民は、冷戦時代のまま分断させられている北と南を統一したいという目標を、押し付けられたとは言えない感触で、未来に見据えているように映りました。簡単にハッピーエンドには終われない悲劇的な願望かもしれませんが。

編注

＊奇術師のプリンセス・テンコー（二代目・引田天功）は、一九九八年と二〇〇〇年に訪朝公演を行った。金正日がテンコーの熱心なファンであったといわれている。

キョーダイ

「未来だった今より」　二〇一一年十二月二十一日　道義64歳

僕にはバレエをやっている妹が一人いるが、今回はその兄妹（きょうだい）ではなくて京大のオーケストラの話だ。

来年、二十五年ぶりに京都大学のオーケストラと、交響曲の歴史上白眉の作品、マーラーのシンフォニー第九番をやる。京都コンサートホール（一月十七日）、大阪ザ・シンフォニーホール（十九日）、東京サントリーホール（二十二日、完売）での三公演に向かって練習中だが、大したもんだ。二十五年前は京響より上手かったほどで、学生だったメンバーも今、何人かはプロの音楽家として活躍しているし、音楽でなくともそれぞれ専門分野で中心的な仕事をしている、日本の大学オケの代表だ。

オーケストラの世界は最近、ベルリンやウィーンをはじめ女性進出が著しい。日本でも音楽大学のオーケストラは女性がほとんどだが、京大は男性も多い。その京大名誉教授で文化勲章を受けた生物学者・岡田節人さんは本気で音楽を愛した人だが、彼は大変興味深い視点で「演奏」というものを捉えている。「科学を学ぶ人間が減っていて嘆かわしい。科学や生物学ほど面白いものはないのに、その魅力を演奏してみせる人、すなわち生き生きと人に伝える能力のある人が少なすぎる」と。

どんなに内容のある学問でも、それが面白く血湧き肉躍るものであることを人に伝える才能、すなわち過去に創造された作品を今作られたが如く演奏するように、人々にその専門分野の魅力を伝える才能ある人間が欲しい、とおっしゃって生命誌研究館の創設に尽力なさったのだ。

マーラー演奏の兄妹たちも、それぞれ自分が求め愛する専門分野のメッセンジャーとして、世界に羽ばたくだろう。

人＝ホモ

「未来だった今より」二〇一二年三月七日　道義65歳

音楽家にユダヤ人が多いのは常識だが、もう一つ常識なのが、良い音楽家には同性愛者、すなわちホモセクシュアルがかなりいるということ。僕は違うのでスラスラ書くが、例えば先日金沢に来た、素晴らしく感動的なピアノを弾く八十六歳のチッコリーニ氏もそうだ。昔から仲のいい「彼」が一緒に行動していて、いろんな面倒をみていて微笑ましい。

僕も若い頃はかなり誘惑？　されたが、彼らは総じてとても優しく、相手の気持ちがわかり、頭もセンスも良い。いわゆる最近の草食系と言われる男どもの存在の薄さとは逆で、悪びれず人生に真剣な人がほとんどだ。

クラシックの大きな潮流の中に宗教音楽があるが、そこでは昔のエリートヨーロッパ人の共通語であったラテン語が重要な位置を占めている。そのラテン語でホモは人間そのものを意味するから、宗教曲にもホモという文字が出てくる。〈Et incarnatus est de Spiritu Sancto ex Maria Virgine: et homo factus est.〉。バージンのマリアから肉となって人（ホモ）が造られたという部分だ（わざと乱暴な訳です）。もちろん前段に「我々人類のために天から降臨して」

とあるが。

近年、旧来の日本語でなくとも、差別語だとか言って、今の時代の好き嫌いで言葉を自粛することが多いが、そんな言葉狩りには反対だ。歴史を都合よくねじ曲げる結果になるからだ。

ところで、バリバリ人生を楽しみ、長生きしているホンモノの男は、実は肉をしっかり食べている人が多い。草食系は元気も出ないし長生きもしない人が多い。少なくとも僕の周りにはですが！

バナナの心臓外科医

「未来だった今より」二〇一二年五月二十九日　道義65歳

天皇陛下の心臓手術を執刀した、順天堂大教授の天野篤医師を取り上げたＮＨＫのテレビ番組「プロフェッショナル　仕事の流儀」を観て驚かなかった人はいまい。バナナと健康飲料だけという食事の貧しさはテレビの誇張も多少あろうが、ソファベッドでの寝泊まりには心底驚いた。私自身、夏休み中に作曲に熱中するとあんぱんと蕎麦で一週間ぐらいは何ともないが、天野さんのその食事はず〜〜っとらしい!!

天才はカバと紙一重と言われるが、三度浪人の学歴といい、連日のつま先立っての長時間手術といい、余りにイッテシマッテいて開いた口がふさがらなかった。どうも天野さんという人は小澤征爾さんとどこか同類な匂いがある。ドリョクトマラズトコトンナニカニシュウチュウ。手術のこと以外に何も興味がないようだ。僕は「人間として生まれたのにもったいない。人生には素晴らしいことがもっとたくさんあるのに」とも思うのだが、「ノーベル賞をもらう人とかは皆こうなんだ」と旧知の文化勲章受章者がうめいていた。

天野さんをそこまで動かすのはたぶん、若い時心臓病だった父親を救えなかったことが大きなきっかけとなっているのだろうし、命を救えるのは素晴らしい仕事だ。ともあれ、こういう突出したテクニックとエネルギーを持つ人が、天皇陛下に若き日の思い出の地、英国を再訪する力を与えた。日本も実力主義が本物に近づいている証拠だ。学閥も全く意味がないわけではなかろうが、専門職こそ大事なところでこのように真に実力第一でなければ。

芸術やオーケストラの世界も見習いたい。私も生前いろいろあった父親へのオマージュが主題の舞台作品*を作曲中。これはなんとしても良い作品に仕立てたい。

編注

*ミュージカルオペラ「A Way from Surrender ～降福からの道～」、二〇二三年一月二十一日、二十三日、新日本フィルハーモニー交響楽団第六四六回定期演奏会にて初演。

夏休み？

「未来だった今より」二〇一二年九月四日　道義65歳

いったい日本中に本当の夏休みをとった人は何人いるんだ？　人はなぜ長く休む？　疲れを回復するためだけならそんなにいらない！　学生はだいたい一ヵ月は休みがあるようだが先生たちは休めないようだし、企業や官公庁もお盆周辺の一週間程度が最大だから集中してどこも混むし、宿泊施設は普段の二倍以上のふざけた値段。休みの実情は、混んでいる日常から、また他の混んでいる所へ行くだけ……。

中国、韓国などは日本とどっこいどっこいのようだが、驚いたのは若い時よく指揮をした東欧のルーマニアだ。冬も厳しいが夏も暑く、六月中旬から九月中旬までほとんどの人が街にいなくなるのだ（とはいえやはり日本と同じで全員が休むから、黒海沿岸の海際や郊外のプールは芋を洗うごとしだと聞く）。街でオーケストラなどもやっていないし、オペラなどを冷房の効いたホールで楽しむなんてことは考えもしないようだ。

夏休みは長ければ良いとか短いのは貧しい証拠、と言いたいわけではない。ただ、一回しかない人生、一つの事を追い求めるのも素晴らしいが、人は時間と共に脳みそも感受性も変化し、同じ事を続けていても、自己実現していると思えない自分を感じる時が来る。その事を若い時から想像するため、「休み」はいつもと違う自分を発見し、複眼的な自分を経験するためにあるのではないか？　なんとかもう少し職業別にバラバラに休めないかと昔から思う。

　僕はここ数年、夏休みは作曲の毎日になった。確かに指揮の生活は長期休暇、いつもと違う時間帯の中にいた。夏が「遊びのためのお休み」でなくなってしまい、良いような悪いような感触だ。でも、これで良いのではないかと思う。

カンシンセン

「未来だった今より」 二〇一二年九月十一日　道義65歳

新幹線が二〇一四年度末にやっと金沢まで延びてくる。金沢駅東口の「もてなしドーム」という名の付いた、嵐の時でも到着した旅人が濡れなくて済む、透明な大きなドーム。どこにでもあるものでなく、個性的だ。左側にあるOEKの本拠地、石川県立音楽堂は意外と目立たない風情と思う。

〈何をやっているのかな？　音楽DO〉という大ポスターが貼られて四年だが、駅前という素晴らしい立地にもかかわらず、存在感が薄くないか？　内部は実に使いやすく音響も一流だが、ホームから建物の側面を見るとただの倉庫の壁……、惜しい！

そこで、新幹線で駅周辺を改良する際が千載一遇のチャンス。東京、大阪、兵庫などにある、大きな駅近くの便利で人気のホールよりも素敵なものにできないか？　駅から出たらすぐ金沢らしさを感じられるものに。

例えば正面道路周辺は全面植樹し、さらに兼六園の金沢らしく「もてなし感」を演出するとか。北陸特有の横殴りの雨でも車椅子の方が濡れないでホールに行けるよう、屋根を追加するとか。県立美術館で大成功のパティシエ辻口博啓さんのようなお店を二階に開き、人々に親しんでもらうとか。さらに最上階まで直接行けるエレベーターを設け、安い切符の人もワクワクハッピーな気持ちで楽しめるようにとか、いろいろ夢が広がる。

夢物語？ 違う違う！ アイデアが優先し、技術力は後からついてきた、アップル社の「iPad」や「iPhone」を想像して下さい。建築物もデザインや使い勝手の良さが最優先な時代だ。絵画が演劇が音楽が踊りが日常の全てなのは幼稚園時代で終わりというわけか？ そんな世界は感心せん！

大ポスターの前で。活躍ぶりに感心しきりの反田恭平さんと（2018 年 3 月）

人と人　国と国

「未来だった今より」　二〇一二年九月二十五日　道義65歳

クラシック音楽を好む人口は少ない。コカ・コーラと違って、誰にでもわかりやすく腐らず長持ちし安いもの、ではないから。オペラやバレエであろうと、演劇であろうと、「商業～」と付かないものはどこかわかりにくい内容を伴う。わかってくれる人がいればよいという姿勢が送り手側にあるのかもしれない。そうは言っても作者や演者も、若さや美貌、性的な魅力とか、人を惹きつけるアピールを発揮できる人はそれを利用する。モーツァルトだってそれを利用できなくなった二十五歳あたりから生活がきつくなったのだ。

テレビは最近でこそインターネットに主導権を奪われつつあるが、いまだにメディアの中心なのだろう、そこに身をさらす「アーティスト」は集客能力がずば抜けて高い。歴史ある老舗や行列のできるラーメン屋などと同じで、みんなが行くから行く、何か特別なものがありそうと思わせる何かに惹きつけられる人間の心理だろう。見る人も聞く人もきっとそうと知りながらそれらを話題にし、一度は確かめに行ってみる。では、二度目からなら自分の価値観で決めるだろうか？　ぶれない価値観なんてなかなか確立できるものではない。だからどうしてもテレビメディアなどの偏った情報に流される。今の中国や韓国と日本とのあつれきなどはその辺の心理が表層雪崩を起こす危険がある。

ユンディ・リという中国の名ピアニストが来日を中止した。* 東日本大震災の時に来日から逃げたオーケストラの音楽監督もいたが、このような時にこそ音楽が人の心を結ぶのに、そのような行動は音楽そのものの意味さえ軽くする。無論そうでない人もいるが、ニュースは悪いニュースの方が強いものなのだ。

編注

＊尖閣諸島の問題により、訪日を見合わせるよう中国政府から行政指導を受けたとされる。

スポンサー

「未来だった今より」　二〇一二年十月二日　道義65歳

　先日、東京のオペラシティであった岩城宏之・OEK初代音楽監督の生誕八十周年記念コンサート。「初演魔イワキ」好みの尖った現代音楽と、ペギー葉山、ジュディ・オングらのポップス音楽、さらにベートーベンまでが混在する前代未聞のプログラムとなったのだが、そんな岩城氏の持つ多面性を表現したコンサートを忍耐を持って共有してくれたお客さんの中には、常連の塩川正十郎元財務相もいた。

　OEKには、感謝すべきスポンサーが数社ある。そのスポンサー関係の背広オトコ族がコンサート会場入り口で応対をなさることに違和感を唱えるファンもいるが、我々は日本社会の中でクラシックをやっている。ゴルフに行かないでコンサートに来る人のほうが「普通」だろうか？　確かにその背広族も家族連れで来てくれたらこんな素晴らしいことはないが、昨今の日本の家庭事情では難しい。そう考えると岩城氏の世界を再現したあのコンサートこそ日本の縮図だったのかも。米国や欧州では同居しない、ポップスとクラシックの神仏混淆のような状態こそが日本文化本来の面白さなのだ。

人間の持つ「二面性」は、よく言われるマーラーやショスタコーヴィチに限らず、全ての音楽や芸術創作のきっかけでも材料でもある。それを理解できる優良企業は、自らの存在を肯定し、そのイメージを高めるために、芸術を極めようとする我々を必要とする。こちら側はさらにクオリティーを高め、過去の文化に負けず進むべき今を提案し実践し続ける。読者のあなたも自分自身を応援するスポンサーの気持ちでOEKの音楽会に来て、かかわって下さい、応援して下さい。

指揮者の採点

「未来だった今より」二〇一二年十月十六日　道義65歳

今月八日、東京のサントリーホールで母校の桐朋学園六十周年記念演奏会があった。桐朋出身の十四人の指揮者が出演するので「指揮者の祭典」と名付けられた同窓会主催のコンサート。「指揮者の採点！　だな」と小澤征爾さんが楽屋でふざけていた。僕は武満徹の作品を振った。そんなにたくさんの指揮者を一度に経験できる音楽会は世界を見渡してもほとんど存在しないから、お客さんは大いに楽しめたようだ。

だが、同じ学校で学び、同じ先生に習っても、腕を一振りすればみなそれぞれオーケストラから違う音が出る。才能も人格も平等なんぞでないことにお客さんも驚いただろう。自分にないもの、そこにないものに人は憧れる。だからこそ人類は発展するのだが、一人一人は生まれた時代や環境から離れようとしてもできない。孫悟空が仏様の手の中から逃れられないように。そんな現実が残酷に突きつけられたコンサートとも思えた。

しかし絶望するなかれ！　誰でも愛すべき自分と同じ一人の人間だ。人は誰でも「ある時代・ある場所」以外に生きられないという点では全くの平等なのだ。我が国では、仏教の歴史によるものか、自分を傷つけようとする者も自分と同じ生き物とみて、罪を憎みこそすれ人を憎まず、という優しい文化を持つが、それはキリスト教の「汝の敵を自分のように愛せよ」という言葉とどこか似ている。だがこれさえよく考えてみてほしい。絶対を求める宗教ですら時や環境の中にある。この文だって、日本語という枠組み（呪縛？）の中にいるのだ。神を思い、手をあわせたところで、オリジナルの「ＡＭＥＮ」ではなく、「あーめん」なのだから。紙一重違うのだ。

国立劇場

「未来だった今より」　二〇一二年十月二十三日　　道義65歳

東京の《国立劇場》という漢字を見て、歌舞伎や文楽が中心の、皇居や最高裁わきの建物をイメージするのか、または新宿の隣の正しくは《新国立劇場》をイメージするのか、どちらでしょう？　アンケートを取りたいほどだが、オペラやバレエ、現代演劇の公演が中心のその新国立劇場は、最近お客さんが定着し、決して安くない切符もよく売れ、内容もなかなかのものを見せてくれるようになった。

「大きなキャパシティーを持ち採算を取れるようにしてくれ」と言ういわゆる呼び屋さん側と、「メトロポリタンオペラのような肥大した建物は絶対だめ。生の人間の声の芸術であるオペラの、東洋人の体格に合う大きさの建物を」と言う芸術家側との、せめぎ合いの果てに建設された今のちょうどよいサイズの劇場ははや十五年。周辺は僕の子供の頃はガスタンクや浄水場などでしかなかったが、今は民間のオペラシティホールと共に「行くだけでワクワクする場所」になりつつある。

また、大阪のシンフォニーホールに始まった音楽専用ホールブームも一段落し、今はそれらの舞台で行われる「中身の充実」に、世界中の才能が日本中でしのぎを削っている。日本人だけで全てをやるのは無理があり意味もない作品もあるが。

既に世界一の音楽マーケットである日本（特に東京）の舞台芸術も、間違いなく着実に成長してきたのだ。メディアはやれデフレだ、やれ不況だとマイナス面ばかりを書きたてるが、今の日本の文化文明は充実期だと確信すべきでもあるのだ。政治はこのように一歩一歩あゆんできた国民をしっかり守ってほしいし、国民も政治家をむやみに引きずり下ろすことに変な快感を持ってはいけない。

スズキ・メソードとエル・システマ

「未来だった今より」二〇一二年十月三十日　道義65歳

こんなカタカナ題だと何だかさっぱりわからないだろうが、バイオリニストの鈴木鎮一さん（生きていたら百十四歳）が長野県松本市で一九四六年（僕が生まれた年）に音楽院を発足させて以来、世界中に広まった教育方式だ。神童は環境がつくるという信念に基づき、母親と幼児が一緒に音楽を言葉のように学ぶ。

その弟子の一人、小林武史さん（八十一歳）が一九七一年にベネズエラを訪れてから数年後、かの国のアブレウ博士（七十三歳）がスズキ・メソードを基にした方式を「エル・システマ」（ザ・システムとでも言おうか）と名付け、それを社会教育の一環として国に働きかけた。今やチャベス大統領の保護のもと、麻薬や暴力からの脱却を目指すツールとして四十万人の生徒が年間六十五億円のサポートを受けている。

素敵じゃないか。アジアの弦楽器奏者の質の高さの元をつくったのも、中米のクラシック音楽の潮流をつくり、ベルリン・フィルのメンバーらが現地に呼ばれて直接教えたりしていることも、元々はたった一人の日本人のアイデアによるなんて！

翻って早期教育の本家、日本にはたくさんのアマチュア楽団があるが、子供オーケストラの台頭も著しい。特に千葉県が助成をしている県少年少女オーケストラ（十歳～二十歳で卒業）は入ることとさえ猛烈に難しいほど程度が高い。

オーケストラというのはスポーツなどより年齢の幅が広く、いろんな意味での大人社会への勉強によい、教育の場だ。それを日本人に改めて気づかせてくれたのが、鈴木さんの孫弟子のようなアブレウ博士というのも素敵じゃないか。

オーケストラにはいつまでも社会にはまらない人間がいるにはいるんだが。僕だけでなく……。

月下美人

「未来だった今より」　二〇一二年十一月六日　　道義65歳

先日夜遅く、僕が神奈川県立音楽堂で続けていた「上り坂コンサート」で若いテノール役で歌ってもらっていた藤木大地君が、日本音楽コンクールの声楽部門で、カウンターテナー（男性が女性の声域で歌う）で優勝したとの知らせを受けた。彼は普通のテノールで苦しんで道を開けなかったが、自分の才能を信じて別の世界に飛び込み、その勇気が結実したのだ。

その知らせの三分後、この間の大阪シンフォニーホール三十周年記念コンサートで曲中のソロを吹き、僕も褒めまくっていた篠崎孝君がやはり日本音コンのトランペット部門で優勝との連絡。五年前の「上り坂」以来応援し続けた小林沙羅さんも来年のNHKニューイヤーオペラコンサートに出演が決まり、十一月にはブルガリア国立オペラ来日公演でタイトルロールを歌うというし、なんだか自分の周りが月下美人の花で一杯な気になった。

そんなことがあった後、群馬交響楽団を指揮した。プログラムに一曲、僕の先生にあたる作曲家・三善晃さんの四手連弾のためのピアノコンチェルトを入れた。今年七十九歳になる彼は若くしてフランスに渡った天才だが、かの国の人々が美しいと感じる対象と、自分のそれとの違いに悩み、しかし闘い続けた。作品「樹上にて」は一九八六年に僕がベルギーで初演した曲。その時ソロを弾いた僕の大学の同級生だった桑田妙子と、その夫のクロムランクは互いの愛の終焉が受け入れられず、その三年後に心中自殺してしまった。

若人は希望を胸に社会や自分と闘い、道を切り開く。人は才能ある人の成長に感動し称賛し、嫉妬さえする。

今、三善さんは家族以外の人の見分けがつかなくなっている。神よ、人生になぜ老いをもたらすのか？

カルメン

「未来だった今より」二〇一二年十一月十三日　道義65歳

今月二十一日の金沢公演を皮切りに始まるオペラ「カルメン」の練習が始まった。これは文化庁の支援もあるが、五都市（金沢、福井、魚津、東京、宮城・名取）連携の共催で、無駄な支出や人件費を抑える方法で行うプロジェクト。最初にアイデアを出したのはＯＥＫで、世界的なトップになる寸前のソリストの新星を探し出しての公演だ。

実はミリヤーナ・ニコリッチという素晴らしいカルメン役を見つけたので滑り出したこの企画。彼女が初来日するはずのオペラそのものが東日本大震災で公演中止になったところを、「もったいない」という気持ちで彼女と直接交渉、タイトルロールにしたのだが、なんと妊娠してしまい（……いえいえ旦那さんとの間です……）、世界中にもう一度手を伸ばしてカルメン役を探り、結局また素晴らしい人を見つけた、といういわく付き。二十一日の金沢（石川県立音楽堂）、二十四日の福井（ハーモニーホールふくい）ではリナ・シャハムがやる。

指揮は僕なんかより百倍もフランス語が上手く、カルメンを知り抜いている佐藤正浩さん。演出は狂言の第一人者茂山あきらさんで、場所はスペイン統治時代のフィリピンのマニラの設定。現地の人々は日本語で歌い、非植民地側の反権力のエネルギーを隠し持ち、スペイン語ならぬフランス語を話す人が体制側の設定。実際にマニラにあったたばこ工場で働くカルメンと傭兵のドン・ホセの物語だ。字幕もあり、歌の力は本物。乞うご期待！

カルメンの主題の一面は嫉妬心だが、それって人間の感情の中で一番最下級のものと思い、個人的には共感できないけれど、音楽はわかりやすくて好きだ。

朝食

「未来だった今より」二〇一二年十一月二十日　道義65歳

朝食が大事なのは誰でも知っているが、家にいる時は毎日同じものを食べるのはなぜなんだろう？　昼や夜は毎日変わるのに、朝はヨーグルトをたくさんとコーヒーにパンに卵。でも、旅行でホテルに行った時の朝食はとっても大事と思わないか？

僕にとっては朝食こそがホテルの状態を全て表すバロメーターだ。コーヒーや野菜がいいかげんなところは二度と泊まらない。最近は良いホテルでも朝食はバイキング方式が主流になっていて、自分で歩きまわって取らなくてはならず、朝から面倒だし面白くない。そんなになんだかんだ自由に？　選ばされる資本主義というか民主主義というか……選ぶことにばかりエネルギーを取られる世界は飽き飽きだ。その上、朝食なのに二千五百円だ、三千円だと結構いい値段だ。それじゃあと言うので前夜からコンビニで買ったり、諦めて外に食べに行ったりすると、なんだかホテルの意味がわからない。部屋代をトコトン抑えて空きを埋められる団体を多くとるホテルでは一人一人にサービスすることが不可能らしいのはわかる。

コンサートもホテルと同じで、切符が高いものが良い音楽会、と言えないことはないのだが、高い切符なのにひどい演奏をする時は、周りの人がどんなに拍手をしていても「馬鹿にしやがって！」と静かに席を立ち、失礼することを生涯やり続けてきた。周囲から見れば相当ヤナ感じだろうが、今でもやってしまう。

そうは言っても具合が悪いのは招待券をもらって行った時だ。安く買い叩いたインターネット予約で泊まったホテルの朝食がひどい質のバイキングだった時と同じなのだけれど……。みなさんならどうする？

政治

「未来だった今より」　二〇一二年十一月二十七日　道義65歳

この時期に政治のことを書くのは少々はばかられるが、〝セイジ〟という響きに、私たちクラシック音楽家はまず小澤征爾さんを連想してしまう。小澤さんが一九六〇年代から〝世界の〟という冠を貼られ、それにたがわず階段を上り詰めたのは音楽の力だけではない。その場所に立ちたいという欲望や、我慢強く負のエネルギーをバネとして持っていたからだ。

政治とは限りある財を振り分ける仕事。権力を伴わなければ何もできない。全員に平等に分けるなら誰にでもできるが、それはキリストが五つのパンで五千人の飢えを満たしたという奇跡と同様、文字通り絵に描いた愛という餅だ。古代、人の声は高い塔から一万人程度の静粛な群衆以外には届かなかったから、国の理想などを民衆に伝える方法はなく、集団のトップになるには人々をかきわけ奪い取るほかなかった。

例えば都市に集まるのは、ただ便利さを求めて、だけではない。刺激や競争に飛び込みたくて狭い家にも我慢しているではないか？　争いや競争や盗みも詐欺も姦淫もないパラダイス（ギリシャ語起源で箱庭！）に人は長く住めるだろうか？「英雄」が「覇権を広げるために命を投げ出した人」ではなくなって久しいが、今でも「大国」は、その肥大さからくる崩壊を避けるために、外に敵を作ろうとしている。

指揮者はオーケストラから愛されると同時に「敵」と思われる存在でなければならない。なぜなら敵がない楽団はいつか自ら内部にそれを作り、分裂を始める。心地よいハーモニーは民主主義のみではいつか壊れる。本当の意味での指導者という存在は、仕事の能力だけでなく多少の毒が必要なのだ。

編注
*このあと十二月十六日に衆院選があった。

思い立って……行けない

「未来だった今より」　二〇一二年十二月四日　　道義65歳

ここ数十年、世間は異常に何でもかんでも予約ばやり。度を越していないか？　クリスマスや正月、ゴールデンウィークやお盆は需要が集中するのである程度仕方がないが、普段でも、評判のいいレストランや寿司屋に「今から行こう」とか「明日行こう」とかいう、思い立っての行動が都会では難しい。ちょっとしたラーメン屋でも人は静々と並んで待つ。「何ヵ月先まで予約が埋まっています」と言われるのが勲章になるのはカリスマ美容師だ。

僕たちオーケストラも、一年先の切符を含む定期演奏会の会員を増やさないと経営が安定しないという強迫観念に縛られている。だが、二年先にこの曲あの曲を聴きたいとか誰が本気で思うのか？　演奏する方は準備があるからまだ理解できるが、まるでみんなが皇室並みに先の予定を組もうとする。そんな生活が息苦しいと思わないらしい世の中が僕には不思議だ。そうそう、交通関係もなぜ早く予約すると値段が安くなるのか全くわからない。むしろギリギリになってまだ空いている席を安く売ってくれる方が理にかなってないか？　人生は予測できないからこそ面白いのに。

先日、僕の子供の頃の師、九十一歳のピアニスト室井摩耶子が、五百円で聴ける石川県立音楽堂ランチタイムコンサートでとんでもなく素晴らしいハイドンを弾いた。忘れることができないすがすがしい演奏！　僕とやったシューベルトの連弾ではもう和音をつかみきれないただの元気婆さんなのにだ。これだ。人生は想定内だけではない。三年前はすっかり駄目だった先生を金沢に引っ張り出すのは賭けだったのだが、勝負に勝たせてくれた。本当の名演だった。運命の神、今回は微笑んだ。

北朝鮮で第九初演

「未来だった今より」 二〇一三年三月十二日　　道義66歳

三月八日、平壌に新しくできた人民劇場で、北朝鮮で初めての「第九」を指揮してきた。「なぜこの時期に？*」と言われても予定は昨夏には確定していたし、核の抑止力問題や武力を持つことの是非には様々な意見がある。

思い返せば二〇一一年の震災直後、チェコは来日中のチェコ・フィルを金沢から帰国させた。冷静さを欠いていた。逆にテノールのドミンゴをはじめ慰問コンサートを日本で行った音楽家も多数いた。どちらの判断が正しいのだろうか？

北朝鮮のコーラスは声の素材としてはとても高度なものだった。生まれて初めてドイツ語を歌うので大変だったが。オーケストラもビブラートの癖や音色の想像力の幅こそないものの、指は回るし、弱気が原因の失敗が少なく、指揮者の要求の飲み込みは海綿のようで余計な迷いがない。迷える自由があるのが本当の自由なんだろうが。

合間に現地の幼稚園を見せてもらった。「国のために子供は大切」として、施設はありえないほど充実していた（平壌では、という条件付き）。無理に着せている印象がある幼児のコスプレ並みの服は、程度の差はあるものの、どこも同じらしい。小学生の間ではローラーブレードが大流行で、街なかでローラーなしの子を見つける方が難しいほど。何かのきっかけがあると風になびくようで、礼儀の良さ、遠慮が美徳であることなども、日本と国民性が似ている感触だ。

北朝鮮は韓国と一つになりたいというセンチメントが強いが、大国に二つに分断された朝鮮は、後ろ盾だったソビエトが無いにもかかわらず北は今も米国と戦争状態。誇り高きあの国の政治は八方塞がりで大変難しいと客観的に思います。

編注
＊二〇一二年十二月十二日、北朝鮮より「人工衛星」と称するミサイルが発射された。これに対し、二〇一三年一月二十三日、国連安保理は北朝鮮への制裁強化を決議した。

日常に歓びを

「未来だった今より」 二〇一三年三月二十六日 道義66歳

以前、京都市交響楽団の音楽監督だった頃、京都新聞の文化部の某記者が、僕が語った音楽の話をすっかり誤解して記事にし、それを読んだ仲間からあきれられた。そのことから、「人のクラシック音楽に対する常識？ はこの程度なんだ……」と発見し、当の新聞でコラムを書き続けることにした。*

二十年後、今度は金沢でも書いてきた。しかしその理由はかなり違っていた。金沢の地でも、クラシックを演奏する僕たちが観客諸氏と関わる場が、燕尾服を着た「定期演奏会」という場以外ほとんどないことに、強く違和感を感じたからでもあった。

もちろん僕が始めて既に六年目のラ・フォル・ジュルネはおかげで金沢の街のイベントとして根付き、費用対効果も五倍程度になっていて、十万人ほどが集まる。しかし三年目に気がついたのは、春の「クラシックの熱狂の祭典＝ＬＦＪ」でほとんどの人々は満足し、気が向いた時に「ぶら〜っ」と音楽会に来たり、デートや食事のついでにＯＥＫを楽しむ、というような人がほとんど増えていないことだった。

生活の一部としては日常にごく浅い関係しかない音楽の有り様……。いわゆる芸術展やコンサートは本当は「ただの日常」の中にこそあるのであって、ごはんを食べるのと同等でなくてもお酒を飲むかケーキを食べるのと同じ程度の費用で自分の生き様に何か刺激をもらう、滝かシャワーのような存在なんだということを少しでもわかってもらおうと、このコラムを書き始めたのだった。人間の生きる目標は、政治も、社会問題も、男女の問題も、街のかたちも、ただ一つ、「歓び」を感じるためにあるということを！

二年が去り、また歓びの春が来た！

編注

＊「指揮者のぬり絵」のこと。

オーケストラと僕

二〇二二年十一月　道義75歳

桐朋学園オーケストラ、東京都交響楽団、日本フィルハーモニー交響楽団

僕とオーケストラとの関係は、一九六〇年代に桐朋学園内にあった学生のオーケストラから始まった。齋藤秀雄さんが子供のためのオーケストラを発展させたものが学内に四つあった！Aオケ（大学生）、Bオケ（高校生と大学生の混合）、Cオケ（高校生）、Dオケ（中学生以下）。それを下から順に振らせてもらう。上手くいかないと上に進めない。

毎週金土日がその練習日。本番は年二回程度。どのオケも、程度の差はあるが細かいところまで磨き上げる方式で、世にある「いろんな曲をやってみる経験」などは考えず、ひたすら深く細かく入っていく。そこでは先輩後輩というヒエラルキーは全く存在しなかった。上手ければ中学生でも大学生のオケに、ダメならば大学生になってもCオケから上には行けなかった。

そこで知ったことは、オーケストラは職人気質の人がリーダーになりやすいこと、そしてオー

齋藤秀雄先生（右）と

ケストラメンバーとしての技量と、個人的な音楽的才能とは別物であるという発見だった。

僕と尾高忠明は十八歳の時に、Ｂオケでシューベルトの五番を前半と後半で分けて半分ずつ受け持って、桐朋デビューをした。本番、四楽章を齋藤先生のテンポではなく速いテンポで振りまくった井上は、幕が下りるや否や先生に「何やってるんだ！　あれだけ気をつけろと教えたのに！」と……。僕は小さくなって耐えた。心は「俺が振るんだ。先生ではない」と、動くことはなかった。

そんな反抗的な井上でも齋藤先生は、森正さんが監督だった東京都交響楽団の副指揮者に強く推薦。卒業と同時に月給七万円で毎日上野に通うことになった。日がな一日座って練習を聴く。たまに振るのは体育館などでの音楽教室。その頃尾高君はＮ響研究員として、世界のマエストロ達や岩城宏之さんの下で似たような経験をしていた。勿論その頃の両オケの実力は天と地ほどもあって、「こん畜生」と思い、夏休みにヨーロッパのコンクールを経験しに行こう！と決心、月給だけでは足りない飛行機代を父親に無心したのだった。そうしたらスカラ座で優勝してしまい、森先生に下げられない頭を無理やり下げながら、「あと三ヵ月、すみません！レコーディングできることになって」と、帰国を延ばしてもらうようお願いした。

帰ってから都響は僕にデビューの機会を作ってくれた。田無市でのモーツァルトの夕べだった。なんだか嬉しくなくて、一年で副指揮者を辞任して、日本から出た。そんな経験から後年長い間、都響の中には僕に良い印象を持っていない人が多く、コンサートはほとんど与えられなかった。そのおかげで？　当時分裂してしまっていた日本フィルハーモニー交響楽団に、二十九歳の時に上野の文化会館でデビューコンサートを作ってもらった。「幻想交響曲」は大変良い結果で、日フィルとの良い関係が続くきっかけになった。

学生時代から練習を見させてもらっていた僕には、小澤征爾率いる新日本フィルと渡邉暁雄率いる日本フィルの、どちらがどうと分けて考えることは不可能で、都響での経験と同様、この国にいることは若い指揮者にとって良くないと思わされる遠因になっていた。五十年以上経った今、この二つのオケは全く別になってしまった。

今東京には九つ、大阪には四つのプロオケがあるが、僕はどちらも多すぎるという意見だ。才能が分散し、給料が低く抑えられすぎ、街のイベントや社会情勢の発露としての交響楽団の使命において、足の引っ張り合いをしてしまっていると思われる。名ばかりの大学が多いことなどと同じだ。この国には、裾が広い富士山が最高峰で、より高い急峻な山がないせいなのだと思っている。

読売日本交響楽団

二〇二二年現在、読売日本交響楽団は日本のオーケストラで最高の状態を謳歌している。適当な男女比率、適当な年齢分布、丁寧なオーディションでの民主的な採用方式、斜陽とはいえ組織全体が新しく脱皮を試みている大新聞社からの保護、宣伝力、的確な事務系人材の採用、そして何より的確な指揮者採用により、ストレスが少なく、楽員間の前向きな姿勢を維持し続けている。この数年、コンサートオペラや、マーラー、ブルックナー、ショスタコーヴィチの作品を中心に、井上は毎回大変満足いく結果を生み続けられていて幸いだ。

東京交響楽団

東京交響楽団は今、ジョナサン・ノットと、ミューザ川崎という素晴らしいホールで演奏を続けているが、僕は八〇年代にマーラーと伊福部昭を中心に多くのコンサートを行った。しかし如何せん、新大久保の練習場は狭く音響が悪い上、オケの収入の要であったテレビ番組の収録スケジュールに挟まれての本格的な音楽の追求は過酷の極み。

ある時、社会党委員長時代のおたかさんこと土井たか子氏が、コンサートの後、「音楽家の人権が守られていない！」と演説。それを受けて井上が「人権といえば東響の練習場は人権が守られていないことの象徴だ！　音はひどく、冷暖房も騒音がひどい。狭くて何もできない。楽員の休む場所もない」と演説したところ、金山事務長が「井上！　何を言うか！　あの練習場は我々の血と汗の結晶だ！」と一喝。その金山氏に高齢の女性が「あなた何をおっしゃるのですか、この現状に甘んじることで満足なさっているのですか。音作りで一番大事なことの問題を避けて何が音楽家の生活を守るですか！」と発言。金山氏が「あんた誰なんですか？」と尋ねると「道義の母です！」……金山さんガクン。という茶番？　があったり。

また日本フィルとの九州ツアーで、若い女性ソロチェリストのための大きな山台が結局は役に立たず、ツアーの最後に山台裏に「役に立たんヤマダイ　秋山和慶」と僕がいたずら書きしたのを返された東響ステージマネージャーが激怒（東響のものだったとそこで知った！）、東

学生の頃。秋山さんをおんぶする道義。隣は尾高忠明さん

響から電話がかかってきて、すぐに来い！　とのことで行くと、日フィル、東響のお偉方がずらり。平身低頭……。という事件があったのもすっかり笑い話。今は素晴らしいミューザ川崎で快進撃中だ。

オケには旬の時期、低迷の時期があるから、なんとかこの良い状態を保つのが川崎市と川崎の住人の責任だ。はっきり言って僕の時代の川崎は塵灰まみれで日本の高度成長期を支えた工場地帯だったのだ。今の駅近くに陣取った生き生きとしたホールは、金沢の音楽堂よりもさらに大きく街のイメージアップに寄与していると思う。特に草の根から育ってきた合唱団は実に、世界でも例を見ない高みにある。

東京フィルハーモニー交響楽団

東京フィルは、僕が若い頃は尾高忠明君が長く中心にあり、僕はＮＨＫのテレビ番組で共演する以外あまりコンサートで振るチャンスがなかった。しかしオペラでは「蝶々夫人」「トゥーランドット」等で関わった。また特にショスタコーヴィチを通して心が通じる荒井英治さんがコンサートマスターだった時代は、多くのショスタコのコンサートができてありがたかった。九〇年代はまだまだショスタコは楽員にも観客にも嫌われていた作曲家であったから。

どう考えてもこのオーケストラは〝国立劇場管弦楽団〟として、オペラ、バレエ、また現代音楽をさらに積極的に取り上げて高い方向を目指すべきで、Ｎ響のやらない仕事の受け皿オケ、という過去の遺産は振り払うべきと思う。何といってもベルリン、ウィーン、ロンドン、ニューヨークなどと並ぶ都市の名の付く「東京フィルハーモニックオーケストラ」なのだから。給料も今の三倍あってよい立場と思う。

ＮＨＫ交響楽団

ＮＨＫ交響楽団は長く日本一のオーケストラであった。それはやはり楽員の給料がダントツに高く、それに見合う人々が、古くは藝大を中心に、次第に他の大学や海外からも、音楽家として不自由なく確実に生きるにはここだ！　との意識で集まったことによる。そしてありとあらゆるバックグラウンドで教育を受けた人々が、プライド高く、このオケのドイツ的なカラーを懐深くに持ち、全身全霊を賭けてきた。

ただしその反面、小澤事件を引き合いに出さずとも、井上も若い頃本番中に「バカヤロー」とチェロトップに怒鳴られた経験があるほど、今でも、若者、または勇気を持ってはみ出してでも試行錯誤をしようとする奏者に対して、必要以上のプレッシャーをかけるという、何といったらよいか、ＮＨＫという大きな親組織に特有の気質？　が時々現れるようだ。「公共放送ＮＨＫ」の錦の御旗精神の根底には、クラシックオーケストラはお高くとまった人々のおもちゃであって不要不急のお荷物団体、という潜在意識があり、また国民の中にも、Ｎ響のような素晴らしい団体に対してさえ、テレビラジオのために受信料を払っているのにオーケストラを持つとは贅沢だ、と感じている人々が多いと思える。……このことは実はこの国の戦後の文化的な背景から発した簡単には解決できない問題で、今書いている自伝ではこれについてこそ書いている。

しかし二〇二二年現在、東京のオケでは一番平均年齢が若いのではないかと思えるＮ響。伝統と個性を保ちつつポジティブ思考な人々がその時々の問題を解決しながら進み、未来は明るいと信じている。

実は僕は、名ホルン奏者・千葉馨さんの遺品の服を数枚頂いたり、ライナー・キュッヘルと一緒に楽員さんの勤続記念のセレモニーに同席させてもらったり、ある年のファン投票「最も心に残ったコンサート」で一位になったり、テレビでのオーケストラの見せ方について技術の方たちと話し合う機会を貰ったり、五年続けてブルックナーの連続コンサートができたりしたことを、強く心の背骨とさせてもらっている。僕には文化勲章等を貰うより本当に嬉しい経験がたくさんあるオケなのだ。

地方オーケストラ

札幌交響楽団は、ミューザに住む東響と似て、キタラという素晴らしいホールとその練習場環境を持ち、楽員誰もがそこで演奏できることを喜びとしている団体だ。北海道新聞、北電等が元気だった時代は、夏には野外コンサートで、湿気のない北海道の夏を地元のお客さんと謳歌したものだった。人口も増えた札幌市で、今は劇場風な新ホールも完成し、多彩な企画でコンサートが運営され続けている。若い才能にとって刺激となるＰＭＦという大きな組織と時折何故か反目しあってしまうことはなんとか避けてほしい。

新しいホールで生まれ変わっている群馬交響楽団、広島交響楽団、九州交響楽団、そして仙台フィルハーモニーは、少しずつ演奏水準が上がり、素晴らしい結果を僕も何度も経験している。特に二〇〇七年のショスタコーヴィチ交響曲全曲演奏会での、広響のコアメンバーとの十四番は名演奏だったし、地方の良いホールで演奏する古典の作品なども実に味がある結果が生まれている。

今は、地方のオケはどこもお客さんに強く愛され、楽員の士気も高く、尖った企画が可能な時代に入っている。音楽監督、指揮者に大きな目標を持つ人が育つことを期待するのみだ。

新日本フィル、京響、アンサンブル金沢、大フィルのことはじっくり自伝に書こうと思う。

エネルギーをくれた人たち

二〇二二年十一月　道義75歳

音楽家はどうしても狭い価値判断で人生を見てしまう。それは音楽の世界が、伝統と民族と言葉との強い関わりの中で、その時々の毎日が、その時の未来と言えるものを含んでいるから無理もない。でもやはり人間は音楽がなくとも十分に人生を豊饒に生きられる。それぞれの世界で突出した人との思い出は実に得難く、僕には過去に作曲された作品よりも、いま生きているそのような人々の生きざまが明日へのエネルギーとなってきた。

十代の頃貪るように読んだ**三島由紀夫さん**は、僕がまだやっと大人になった頃、草月会館での現代音楽のコンサートの時にほんの少しお話ができた。日本人にはあまり多くない、人の眼をはっきり見て話す人で、また自身の存在全てを別の自分が見張っているような感触があった。奥さんに「僕は三島さんの本は文庫本だけどほとんど持っています！」と言ったら、なんだかとっても人懐っこい話し方で素直に喜んでいただいたのだが……僕は彼女も、文学という架空の世界の読者を一人の個の人格として受け取る人で冷静だな……、三島さんの日常と、文章で世界を描く天才としての彼とを別に見る人だな……、三島さんはきっと家でも孤独かも……、と感じたことを憶えている。

同じく貪るように読んだのは**筒井康隆さん**。筒井さんの、何もかもが笑える想像力の餌食になる文章、特に「関節話法」というお腹が捩れるストーリーは、『宇宙衞生博覽會』の中にある。

草月流の**勅使河原宏さん**は、「他人の顔」や「砂の女」という素晴らしい映画を残した人だ（武満徹さんのワルツ「他人の顔」は、映画では味気のない演奏で処理されているが、後年道義はアンサンブル金沢と繰り返し演奏しその素晴らしさを完成させようと振り続けている）。勅使河原さんからは、当時役者としては駆け出しだった**宮沢りえちゃん**（勅使河原宏監督「豪姫」（一九九二年）に出演）や、首相になる前の**細川護熙さん**（同監督「利休」（一九八九年）に出演）を紹介していただいた。その後僕はりえママという最強の壁があったりえちゃんの追っかけになったし、勅使河原さんに誘われて細川さんと一緒に鯖江の焼き物工房で轆轤を回し粘土をこねた経験がある。ご存じのように細川さんはその後十年ほどして政界からすっぱり身を引き、あの時!!　の経験で自分の才能を信じたのだろう、一直線にその世界へ、今や陶器造りの名匠となっておられる。

工藤大貳さんは、代々木上原にあった服部・島田バレエ団で僕が十二歳から十八歳まで習っていた時にずっと一緒だった先輩で、伊豆・伊東出身の彼は後年パリ・オペラ座のバレエのエキストラとして多く踊り、ノエラ・ポントワさんという、バレエ団のエトワール（プリマバレリーナ）と結婚、パリの郊外にスタジオを持っていた。パリでミテキ・クドーが生まれたあと、僕がちょうどコンサートでパリに行ったので一緒に乳母車を押して散歩をしたが、二人の仲が良く夢のような時間だった。彼がアフリカ公演の際に恐怖の中で描いた黒人の顔の大きな油絵を今も居間に飾っている。素晴らしい作品。

彼やバレエ団で教えていただいた**島田廣先生**の、狂気にも似たバレエへの愛、それを温かく包んだ**服部智恵子さん**との不思議な関係。そこでベートーベンのシンフォニーに振り付けをした**ロイ・トバイアス氏**、練習ピアノを弾いていたのは福チビ＝バレエ指揮者・**福田一雄さん**。僕と踊っていた素晴らしいバレリーナ、**久保田紀子さん**は後年フランス芸術文化勲章を受けられた人。一緒に電車で帰った時、僕が「明日スキーに行くんだ！」と別れ際に言ったら「気を付けてね！」とささやいたので「なんだい！　俺は男だ、家に帰る別れ際に気を付けてとか言うなよ」とささやいたがドアが閉まった。そこで彼女はドアの外から「スキーよ！」と大声！　乗客全員が僕の顔を見た！　僕は赤く小さくなった。

高田賢三さん。パリの彼の家に何かのチャンスに呼ばれた。その内部は夢を全て叶えたような空間だった。……しかしその時彼はパートナーを失い失意の中にいた。才能と運に恵まれた人にもいつか終わりが来るのだと心の中で感じながら、いろんな話をしたのが忘れられない。

水の江瀧子さん。この方は僕の母の少女時代に一世を風靡した、男役の踊れる役者だった。全てのことに粘る母は後年、彼女の深い友人になった。犬好きな二人は犬を連れてお互いの家を訪問しあっていた。石原慎太郎や裕次郎を発掘したプロデューサーとして、また「ジェスチャー」というこれも大人気だったテレビ番組の中心人物でもあった。

晩年彼女は馬を飼って隠遁生活を始める前、生前葬をやって楽しく自分の人生を締めくくっていた。二〇二二年の僕の引退宣言に強く影響がある。

市川崑さん・和田夏十さん夫妻は僕が子供の頃斜め隣にお住まいで、息子の辰美君とは毎朝一緒に学校に出掛けていた。大きなバラがいっぱい植わった塀がご自慢だった。九十を越えても煙草を離さなかった崑さん。崑さんから映画「竹取物語」でオーケストラの指揮を頼まれた時、「おい、道義くんは指揮をやっているようだが、食べられてるの?」とか言われ、この人俺をいつまで隣の坊や扱いするのかと癪に障り、「当ったり前です! 左ウチワですぅ!」と憎まれ口をきいた時の、吹き出しそうだった彼の顔が忘れられない。

美しくて頭の良かった奥さんで一流脚本家の夏十さんは、全ての映画関係者に辛辣で、僕は素晴らしい個性と感じていた伊丹十三さんを「軽薄で空っぽ」と言っていた。晩年乳がんが少しずつ転移し、うちにひょこっと来ては母の廸子に慰められ続けていた。若い僕はただただ距離を置いて「歳は取りたくない……」と思うばかりだったのが……情けない。素晴らしい人もみんな、ふだんは普通の人の衣をまとっているのだ！

もう一人、円谷英二監督との特撮映画で人気が出た、ゴジラを撮り続けた**本多猪四郎さん**も歩いて一分の所に住んでおられた。いつも優しいパパであるあの人がなぜ子供だましの怪獣ものを撮らねばならないのか、なんとなく市川崑さんの本物感と比較したり、成城の一年先輩「黒パン」（黒澤久雄さん）のお父さんの黒澤明の存在感と比較していた子供＝自分を思い出す。本多さんはその優しさで、完全なものを求めるあまりすぐに周囲に激高する黒澤監督に仕事を続けさせたり、また東宝映画でドル箱だったゴジラが後年ハリウッドでリメイクされるような影響を世界のＳＦ監督に与えたという事実を、僕は後で知ることになった。僕はものの価値がわからないガキだったようだ。

長嶋茂雄さん。彼が巨人軍監督をやめた頃、読売日本交響楽団のコンサートに長嶋さんを呼んで、モーツァルトのことを話せという読売新聞側からの企画があった。僕は長嶋さんと話せるのは嬉しかったが、こっちは野球の話はムリ。全てのゲームものには興味が無い。そこでこっちの話に引き込むほかないのだが、アマデウスの何を話題にすればよいか、僕のインタビュワーとしての能力が問われる賭けみたいなものだった。それに読売のお偉いさんから、彼をなんとか説得してちょっとでも指揮をしてもらって盛り上げたいと言われた。誰が言ってもやらないの一言だけど、道義さんからならなんとか……と言われたのだ。テレビ関係の人なら誰でもが考えるようなことで、あまり気が進まなかった。

客席からお呼びしたら赤い眼鏡と健康そのものの身体が素敵だった。

モーツァルトの音楽について、「立教の頃、またプロに入った頃も、打率というのはどんなに頑張っても三回に二回は当たらないし、同じことをやってもダメな時はダメ。私だってひどく気が滅入る。そんな時家でモーツァルトを聴くと、悲しいが何故か心が満たされる。また、うまくホームランが打てた時にはその同じ曲が愉しくウキウキと聞こえる！　だからモーツァルトが好きなんです」と、これぞモーツァルト理解の極意！　驚いた。その辺の筋肉勝負のゲーム男とは違う、と生意気にも感心。そのあと最後に、ここぞというタイミングで「楽員さんがちょっとでも指揮してほしいと言っている!!」と誘ったが……「いえいえ、井上さん、そういうのは勘弁してください。僕ら野球選手も球場で勝負ができるようになるまでどんなに切磋琢磨し悩みぬいていることか。楽員の皆さんも同じでしょう。そういう場所で何もわからない僕なんかが、ここに立つチャンスがあるというだけで真似事をするなんて、一番恥ずかしく失礼な事です」とお断り。その論理の潔さに、聴きに来ていたお客さんも心から大拍手喝采だった。

黒柳徹子さん。この人とは八〇年代に「徹子と気まぐれコンチェルト」などで二週に一回NHK総合でいろいろな企画をご一緒した。あの時のマエストロという名前を付けたイングリッシュシープドッグがどんどん大きくなるのを憶えていてくれる人もまだきっといると思う。
彼女の滑舌の良さは天下一品。また台詞の暗記も早く、たくさんの即興的な受け答えも嫌味がなく忘れられない記憶が残っている。後年、「徹子さん……僕は二度目の結婚をするんだったら、あなたとだったらどんなに愉しい人生になったことか!」と真面目に心情を告げた時、「あら、そう〜〜、もっと早く言ってくれなくっちゃ」と一言。立て板に殺し台詞。

野田秀樹さん。僕は夢の遊眠社時代から数多くの彼の作品を一観客として観に行っていて、日本文化の全てを背負っている言葉というものと、天皇制などへのはっきりした立場に、強く共感を持った。そして何よりもすごい数の練習が行われているに違いないその徹底したアンサンブル演劇に感激しまくっていた。よく蜷川幸雄さんとの比較が巷には存在していたが、雲泥の差だと感じてもいた。
或る時丁寧に感激文を書いたところ、(後で聞かされたが)あまりに字が汚いので頭のおかしい人からの手紙だろうと思って読まないでいたが、暇な時に読んでみたら意外や意外、舞台の内容の機微を全て理解している文だったので、驚いて調べたら「指揮者の井上」だったそう

野田秀樹さんと（写真 ©Hikaru. ☆）

だ。


また或る時、「ミサ」というバーンスタインの最大の名作を、野田さんの演出、井上の指揮でと文化庁が内定した後、僕の勝手な解釈によると大竹しのぶさんとの恋愛事件で彼が降りてしまい（事実はもっと別の問題があったと野田さんから言われています）、井上が徒手空拳で演出・指揮をやることになったことがあった。

また後年、僕が一九八五年から新日本フィルで始め、京都市交響楽団、アンサンブル金沢、読売日本交響楽団等と続けた「コンサートオペラ」と名付けた、「オーケストラが全部見える上演形式のオペラ」が十作品程になり、その形式で「フィガロの結婚」を全国十四ヵ所でやるぞという話を持って彼を口説いたのは二〇一二年。

東大にあるフレンチレストラン＝彼が学生の頃にはガラクタ置き場で、自ら立ち上げた演劇グループの練習場兼試演場だった場所で口説きまくった。十年ほど前、彼は「マクベス」というヴェルディの作品で右も左もわからずオペラに飛び込み大いに苦労した経験があり、一生オペラはやらない！　と決心していたから、ハードルは高かった。でも結局は彼と、一回目は僕が癌闘病後でフラフラだった時、また五年後さらに洗練された形で、多くの場所で上演できて本当に素晴らしい経験となった。彼の演出法は非常に独特（他力本願！）で、初めは唖然とした。

森山開次さん。遅く(二十一歳から)ダンスを始めたこの天才と、金沢の子供のためのパフォーマンスで初めて遭遇した。その練習は本当にやさしく、粘り強く、役者一人一人の個性が花開くように徹底的に寄り添う方法で、短気な僕なんかには心から尊敬の一字しかない。絵コンテも描け、構想は規模が大きく、そして細かく穴を埋めていく。素晴らしい身体表現は全てのダンサーに激しい共感と意欲を掻き立てるもので、「ドン・ジョヴァンニ」はじめ「火の鳥」、そして近い将来彼のダンス抜きで「ラ・ボエーム」を共作できることが決まっている。「ラ・ボエーム」は僕自身パリに部屋を買って住みたくなったほど愛してしまった作品。この作品で、僕の人生の夢が弧を描いて、空に虹のような天への橋立として上演できるのが楽しみ。

森山開次さんと（写真 ©Hikaru. ☆）

V

舞台への道

ヘン装してデル（写真提供：響敏也氏）

しふくかん

「指揮者の肉体」（初出不詳）

指揮をしていると突然、エクスタシーにおそわれることがある。

でも、それがいつ、どんな場合に起こるのか全く自分ではわからない。肉体的な、いわゆる本当のアレの場合はわかっているつもりだけれど、音楽の方のアレは曲のクライマックスと上手い具合に同調することは少ないし、またとても個人的、内面的な出来事だから、九九％人にそれと気づかれることがない。

ところで、僕がこのように直接的な語彙を使うと、人によっては短絡的に性的な現象に結びつけている、と思われるかもしれない。「人前でエクスタシーですか、変質オジサンみたい」と言われるかもしれない。そういうふうに感じた人はスポーツ新聞でも見ていればいいんだけれど、せっかく乗りかかった舟、言葉のすりかえをして、「至福感」とでも言い換えましょうか。

とにかく、「神様がいる！」って感じ。「音楽やっていてよかった！　あんなことも、こんなことも、いろいろあったけど、ああ、今こうして満たされている！」と。

もちろん、すぐあとに続く小節、次の新しい部分、つながっていく楽章、そして次々にやっていかねばならぬ綱渡りへと注意を向けるので、この「至福感」もすぐに過ぎ去るんですが——。

一回でもいい、いわゆるクラシック音楽やそこから派生した音楽で感動を覚えたことのある人は(ジャズやインド音楽やガムラン音楽などでは忘我の境地があるらしいが、どうも僕らのやっているものは自己の意識が常に存在するように感じる)、その一瞬をつかんだのだと思う。「今神が自分と共にいる!」と。

僕の感じる「至福感」というのは、たぶんボッティチェルリの名作「受胎告知」につながっている。天使のただひと吹きで、マリアが「キャアッ、どうしよう私の体に後で救世主になる人ができちゃった!」てな具合に驚き、そして受け入れた、あの感じに近い(誇大妄想だろうか?)。もちろん近頃はやりの「ハイな状態」とは全く違う次元のものだし、また本当にまれにしか感じられないことだ。

以前三島由紀夫の『豊饒の海』のあの素晴らしい世界に魅せられた時、「三島はもう十分生きた。この上何をどう生きろというのか……」との感を深くした。物書きの業とは、作曲家にたとえれば次に続く小節を自分で作り出さねばならないということだろう。もうこれで想像の世界としては満足だと思ったならば、あのような至福の世界と引き換えに現実に何を待ち望めばいいというのだろうか。三島氏はあの「時」を無限にする方法を見つけ出してしまったのだ、と私は理解したのだった。

それで回り道をしたあとの結論ですが、僕らはあの「至福感」からすぐ次の小節に行かねばならない世界の人間です。音楽というのは文化だから、いろいろな知識、経験、才能が数限りなく必要だ。でもそうしたことを得ようと努力させるのは、たぶん自分が存在していることを喜びとして与えてくれる、あの一瞬を待つ気があるからなのである。

東京音楽大学

「道義より」 二〇一〇年十一月二〇日　道義63歳

東京音楽大学にはこのところ心底驚かされている。歴史があると言いながら、長い間「ただのお嬢様学校」と（僕だけでなく僕らの世代は）受け止めていたが、とんでもないな。自明なことだが、学校というのは先生が作る。また、学問する意味が真にわかっている校長の哲学が作る。世界中どこでも「先生の情熱と努力」が全てだ。伝統ではない。

考えてみれば自分の小学校でもそうだった。クラスごとで授業の面白さが全く違った。面白いと憶えが良くなる。学校に行くのに誇りが持てる。桐朋学園も齋藤秀雄、井口一族がいた頃がそうだった。むかし井口基成[*1]が、ある優秀な学生がビールを飲んで停学になりそうだった時、「ビールなんて酒か？」の一言で救ったとか、「大学なんて、いい時代悪い時代があるもんだ、今は駄目だがしかたない」と言い放ったとか、聞いている。

東京音大にはそれぞれの楽器の先端で仕事をしている人が教えに来ることが多い。一点豪華な客員の講義も多いみたい。毎日地味に教える先生も何故か生き生きしている。校舎も近代的で魅力的だし、生徒にあふれていて競争がある。

広上君[*2]に誘惑されおだてられ、指揮科を教え、ショスタコの十番というまあ普通は取り上げないプログラムでの三回のコンサート。こっちも勝手にやらせてもらった分、体力の続く限りやった。チャラチャラした服を着た「女子」のやつらも、コンサートでは……たぶん……全員、今の自分の価値が決まるコンサートと思って演奏したはずだ。

それしかないだろ。

過去がなく未来もないコンサートの中に音楽は生まれ死ぬ。楽譜の中に音楽そのものはない。人に忘れられても自分で忘れても、今は生きる限り存在する。

編注

＊1 桐朋学園短期大学および後の桐朋学園大学初代学長。

＊2 指揮者の広上淳一氏。東京音楽大学指揮科教授を務めている。

一回性を生きる

「未来だった今より」　二〇一一年六月八日　道義64歳

この列島に住む人間がこれほど自ら学ぼうとしているのは、明治維新以来ではなかろうか？　革命というのは民衆全体の心に何かが発火した時に起こる。震災が僕たちに与えた無力感、その源を探った結果はたぶん、数年のうちにはっきりと形を取るだろう。

この時代、時間と興味があればインターネットで、語学力があればさらに広く、世界中の情報を引き寄せられる。熱帯の島でも極寒のツンドラでも、ネット情報に差はほとんどない。

今、列島に住む人々は、愛してやまない自然に安全神話を覆され、怒りの方向を探っている。しかし、超越すべき問題は自分一人一人の中にあると気づいているのではないだろうか？

情報は楽譜のようなもので、知識そのものではない。人に演奏＝利用されて初めて真の価値を生む。

我々は震災によって、情報はあってもそれで現実を正しく予想する力はなく、避けられないことがあると知ってしまった。責任とは？　政治とは？　国とは？　便利さとは？　考え直している。何より「死」という隣人がいると強く認識したと思う。

広い世界には私たちの知らない美しいモノが無限にある。しかし平和な日常にも、すぐ近くにいつ訪れるかわからない「別れ」があるのだ。

「コンサート」という、一見、生を謳歌し華やかさを追いかける「祀り」は、作曲家の生きた時間の証拠である楽譜を「聞こえ、見えるカタチ」として演奏=再生させる行為だ。それは死と隣り合わせのエロスの発露そのものと思う。舞台でもできる限りの知識と知恵で道を整え、それでもなお予想がつかない一回性の中に、勇気を持って命をかけて飛び込んで行く他はない。

ヘン装してデル

「未来だった今より」二〇一一年九月十四日　道義64歳

クラシック音楽は、もちろん「誰かが、どこかで、ある時」演奏することを希望して書かれたものだ。人間は、譜面を重ねればエベレストやキリマンジャロよりも高いほどの多くの作品を作ってきた。その中からなぜか生き残って、現在人々に愛されているものを「クラシック」と呼ぶ。

その流れの源流を作ったバッハ、それも若い頃のバッハのオルガン曲など、目立ちたがり屋のサッカー選手がゴールした時にやる、とんぼ返りや神に感謝！　風の大ジェスチャーのようだ。近くにいたら辟易するほどの自信が体からあふれる人物だっただろう。

彼のような天才でもライバルはいた。ヘンデルだ。「お金がかかりすぎて大層な舞台装置がいるオペラではなくて、もっと音楽中心な（有名なメサイアのような）オラトリオを作り上げる」と言って、多くのソロと合唱とオーケストラによる舞台作品を書いた人だ。

それは僕が毎年のように舞台にのせてきた「コンサートオペラ」または「セミステージオペラ」の考え方に似ている。オーケストラと歌い手が両方とも舞台にいるオペラだと言える。「暗い低いオーケストラピットで、楽器の持つ色を半分は消され、歌手のためとはいえお客さんの見えない所で演奏をする」というのは、「目立ちたいアーティスト」の心理に合わない。

今、ヘンデルの音楽を題材に、俳優の西村雅彦さんと僕が演じる（指揮しない）オラトリオの公演を、[*]金沢で十七日、名古屋で二十二日、大阪で二十三日にやる。暗譜でなく暗記しないと……。カツラをかぶってヘンデルです。

編注
＊オーケストラ・アンサンブル金沢定期公演、ロルフ・ベック指揮、ヘンデル・ガラコンサート「神々しき調べ」（原作／リヒャルト・アルムブルスター、日本語訳／有馬牧太郎、日本語脚本／響敏也）に井上はヘンデル役で出演。西村雅彦（現・まさ彦）さんはロマン・ロラン役。

響け　日比谷公会堂

「未来だった今より」　二〇一一年十月十二日　　道義64歳

日比谷公会堂という二千人収容の古いホールが東京の日比谷公園にある。関東大震災のすぐ後に建てられたためか、いまだに不具合がない……。イヤそれは全くのうそ！　使う側や観客にとっては古色蒼然として不便で使いにくい。今、東京都は建て直すことなく、戦前戦後の日本のクラシックの殿堂を、これからも魅力あるコンサートホールとする気で改善作業を進めている。一九四五年六月、東京がほとんど焼け野原だった時も、N響の前身だったオーケストラは定期演奏を絶やさず、第九などを演奏していたのだ。

一九八〇年代以降のコンサートホールブーム以前、それどころか日本の高度成長期以前のものであり、残響重視のホールとは哲学が違う、実に個性的な音響を生み出す。作品を選べば臓腑が直接握られるようで素晴らしい感触。日本には、アンサンブル金沢と新日本フィルハーモニー以外、練習と公演を同じ場所でやれる団体がないが、日比谷公会堂に一つのオーケストラが常設されたら世界で最も個性的な響きのオケになると夢想する。本当にスッピンな音響を持つ公会堂。石造りのキリスト教会堂などから派生した、天の神に向かう響きでもなく、舞台の後方にも客席がある祝祭的なワインヤード形式でもない。「茶室で人と相対するように近い、しかし二千人がいる感触」と言ったら、まるでわびさびの茶人のようで、僕の口から出ると異様だろうか。

オーケストラの個性は指揮者や楽員たちの生き方や街の雰囲気が作り上げるが、本当はホールそのものが作るものだと信じている。信じているだけだから間違っているかもしれないが。

「才能」

「未来だった今より」　二〇一二年三月二十八日　道義65歳

人の才能というのはいったい何なんだろう？　数年前、指揮者コンクールの審査をした後、妻に写真つきの応募者の資料を見せ、「どいつが通ったか当ててごらんよ」と言ったら、なんと十人中八人まで当てて驚いた。ＯＥＫの新楽員オーディションをした時も似た経験をした。舞台の真ん中まで歩いてくる姿で音楽や才能の予測がつく、とコンサートマスターが言うのだ。格好が良いとか、確信に満ちているとかとは違う。オーラとも少し違う。何か存在の自然さと、その人が自己の未来を賭ける時の危うさを、もう一人のその人が試みる客観化が見せる力だろう。

先日ある若いバイオリニストが、観客をねじ伏せようという嫌みな演奏から脱皮し、音楽の核心に迫る演奏を奏で始めた。一年間演奏から遠ざかる時期を作った後だそうだ。自分を真に育てるのはもう一人の自分だと気づくことが本当の「才能ある人」と思う。

翻って井上自身で言えば、三十四歳の頃、結婚もし、仕事カレンダーも埋まっている……でもなんだか自分には足りないものだらけな気がして、ふと気がついた。音楽はやっているが小さなジャンルでもがいているだけ。このまま六十、七十歳になったら自分に飽き、人にも飽きられ、自殺するしかなくなると感じた。一年仕事を休み、それまでやっていなかったオペラの勉強を始めた。あの時は人生に対して才があったと思う。

その後世界が広がり、他人でない自分を発見でき、自分の住む場所は音楽だけでなく人と深く関わる時が過ぎゆく「舞台上」なのだと決めた。そして、そのまんま進み三十年。今、また考え直している。力いっぱい自分を生きることに才能ある人間になりたい。

産地偽奏？

「未来だった今より」　二〇一二年六月五日　道義65歳

一時「産地偽装」が話題になったが、よそで生まれた牛でも九百日以上松阪周辺で育てれば「松阪牛」と呼ぶことができるなど、「本場の牛肉」とは何か、考えさせられた。クラシックでも「ウィーン何とか楽団ニューイヤーコンサート」は、実はウィーンと名乗っていても東欧やバルト三国の血がたくさん混じっている。でも、日本の楽団よりそれらしい味を出せる点もあり、「産地偽奏」と知りつつも切符を買ってしまう。

お隣の国の、有名ブランド偽造、自動車デザインの物まねにとどまらず、子供は初め、親や先生のまねから学んで育つ。先日レオナルド・ダ・ヴィンチ展に行ったら、あのラファエルたちも互いにまねをして描き、ほとんど見分けがつかない。後世の学者がそれらを見分けるため一生を費やすらしい。これって何だ？

本場ロシアの指揮者ならショスタコーヴィチが俺より芯が通っているか、本当に上手いか？冗談じゃない！　でもどこの楽団が最高に上手いかなんて議論は全く意味がない。ベルリン・フィルを聴いても大体は「おじょうず」とわかるだけで、感動させる演奏の割合はどこのオケとも同じ。世の中どんなアーティストでも、どこどこ大学出身で誰に学んだ、ということがプロフィルに書いてある。すなわち履歴書。だが同じバックグラウンドでも皆一人一人味も上手さも違うから、ほとんど意味がない。学校での経験なんて普通何の役にも立たない。

現場で人の心に矢を射るのは愛情と同じで、毎回の表現意欲、集中。それも、痛いほどのそれ！　一歩さがってみると馬鹿らしいが、人の評価・価値はそれだけ。ブランドアーティストなんていないないのだ。

うそ偽りのない一体感

「未来だった今より」 二〇一三年一月二十二日　道義66歳

二〇一一年十月に平壌の国立交響楽団に呼ばれ、ドボルザークの「新世界より」などを指揮したことは、以前このコラムにも書いた*。その報告は僕のサイトで動画として発表してあるが、今度はこの三月、かの国での「第九」初演を指揮するため、再度招待を受けた。

僕は二十七年ほど前にNHK教育テレビで「第九をうたおう」という番組を受け持ち、再々放送まであった経験もある。今回、「楽員たちが、今までに招聘した指揮者たちと違って井上とはしっくり音楽ができたと言うので、ぜひもう一度来てほしい。ついてはその『第九』をやってくれ」と言われ、批判もあるだろうが行くことにした。日本人のソリスト二人を同行、現地のソリストと共にかの国の合唱団と演奏する。

一九八九年、バーンスタインがベルリンの壁の崩壊時に演奏した「第九」には、強い印象が残っている。多くの価値観の違いを持つアジアの国々の見えない壁、見える国境を、僕が生きている間に低くできるとは安易に考えてはいない。しかし愛するショスタコーヴィチが、ソ連の体制内で自分の考えを信じ、力強い作品を残したように、僕も今考えられる限りの理想主義に徹して運命に向かいたい。

オーケストラという組織も、本当に一体になれるのは実は音楽会で音を出している間だけと言ってもよい。例えばＯＥＫの内部もそれぞれの見る理想はかなりバラバラだ。国と国、民族と民族との間も同じで、平和という言葉一つとっても、みな異なる内容を持つようだ。それでも、そんな人々が一瞬でもうそ偽りのない一体感を持てるのが真の舞台、真の音楽だ。人と人との関係はそれでよく、それ以上は恋愛関係でも難しい。

編注
＊本書《Ⅳ 交差点「平壌で指揮」》参照。

東京の∨池袋の∨人々の∨中の芸劇

「芸劇、変身中。」第二号　二〇一一年十月　道義64歳

一つの劇場が注目を浴びるのは当然開館後四年間だ。そしてそれは建物の設備、立地条件、デザインなどが大いに影響する。

しかし次第に周りに溶け込み……薄まり？　……存在が日常的なものに変化する。これはどんな世界での新人でも同じだろう。

それが輝き続けることができるのは、実はそこにいる運営を任された「人……たち」なのだ。そこの神話を作り上げねばならない。例えばカーネギーホール、例えばムジークフェラインのホール、例えばパリ・オペラ座、日本ではやはりサントリーホール。そこにはどのような形であれ莫大な資本が投じられ、数々の名演奏とその記録映像などによる神話＝手の届きそうにな く思われる存在として、人々がそこに行くこと自体で気持ちの高揚を覚える場所になることを、神殿のように演出することだろう。

そこでたくさんの人が誤解する。「簡単に手の届かない所＝非日常の世界である」と。

間違っている!!

神は人の背後にいつも居るし、美しいものもありとあらゆる所に充満しているはずなのだ。僕は京都のオーケストラの監督を八年間やった時大いに驚いた経験がある。国宝のすぐ隣に居ても興味がない人は見にも行かない、話そうともしない。例えば名も知れぬ裏山の自然はストーリーがなければただの雑木林なのに、ストーリーがあると人は何の変哲もない場所へ何時間もかけて登り写真を撮る。ひいては有名人が飛び込んだ場所からわざわざ入水自殺を試みたり……。

物語に生きる……それは歴史の中に生きるのと同じ。それならば物語の場である舞台が毎日の役者や僕たち音楽家は、人よりたくさん生きているのだろうか？　きっと絶対本当にどう疑っても、そうに……違いない……。でもそれも主観。人はみんな同じだけの時間を生きているだけ。とても不思議なことだ。世界は劇場なのだ。時に恋人は恋人を演じ、人と結ばれる瞬間を互いに演出しあう。父は父としての態度を子供にも子供の学校の担任にも演じて見せ、看護師は、郵便局員は、車掌は、ホームレスは、皆「それらしく」生きているように見せる。「劇場」は、そういう人の営みを極限まで集約した……簡単に言うと文化と呼ばれるものの……場所だ。

今、必要以上に機能に徹した劇場建築だった東京芸術劇場が、変わろうとしている。どう変わり、東京の＞池袋の＞人々の＞中でどんな位置を占めることになるか？　楽しみなのだ。

今日という日は帰ってこない

道義68歳

「道義より」二〇一五年九月十五日

この感覚は、僕の場合、自分のコンサートでは若い頃には数回しか感じなかった。「今日という日は帰ってこない……」。

あまりにも美しい景色に遭遇した時、強い愛情に満たされたと感じた時、ありえないような感動というものが、そんな感覚をもたらす。

辻井伸行君、無理がなく、必要なものを全て満たし、余計なものを演奏に付け加えない。

モーツァルトのピアノ協奏曲第二十七番は、彼岸に片足を突っ込んでいると人はよく言う*。誰が三十五歳のアマデウスが死を予測したと言い切れるのだ！　彼は多少体調が悪かったが、普通に演奏も作曲もしていたのだ。いたずらに暗さをイメージして聴いてはいけないと思う。

シューベルトの「未完成」、マーラーの九番、ブルックナーの九番、ひいてはベートーベンのピアノソナタの最後あたりなどに誰しもが死を投影する。だいたい死が暗いものだとなぜ決めるのだ。第一、人は本当に死にそうな時、真にフラフラでは作品なんぞ絶対書けない……佐村河内じゃあるまいし！

初めて彼と三重県で共演した時から六年、場数を踏み、素晴らしくなった。これからが楽しみとかでなく、モーツァルトはあれでいい。日常的な感動だろうか？　特別な日だったのだろうか？　ここに日常があることこそ特別なのだ。

編注
＊モーツァルトはピアノ協奏曲第二十七番を完成させた年に三十五歳で亡くなった。

舞台の上

「道義より」　二〇二〇年一月一日　道義73歳

北京で第九……、ベートーベンの第九が中国と日本の演奏者で真に意味ある結果を得られるか……やってみる。

高らかに歌い上げる喉は既にないが、神様！　私は指揮者でよかった。

私は世界的に有名な指揮者でもなく、特にアイコンのような意味を持つ存在ではない。逆に、ハーフの顔を持ったことが良くも悪くも対人関係にかなりの影響を持った人生を歩んできたためか、東洋人のやる、フロイデ！　明けましておめでとう！　カウントダウン！　歌合戦、ニューイヤーワルツ、などの一連の「しきたり」の醸し出す「一体感」と、現実の社会や政治の中での真実との離反には、常に心が引き裂かれ続けている。

そう！　中国の新年はまだ先の二月だ。北京は初体験！　北朝鮮での第九初演から既に六年が経過した。NHK教育テレビで日本中の合唱愛好家に向けての「第九をうたおう」を企ててから三十四年が経過した。

今ベートーベン生誕二五〇年、彼が描いた理想世界は、遠い星空の彼方に住む父なる存在と共にあるのだが、それはどんなにロケット技術が進もうと、そこに全人類が届くことはできないのではないか？　全ての人々が兄弟になるということは……現実にはできないことではないか？

バーンスタインが指揮をした、ベルリンの壁崩壊時の演奏ではフロイデをフライハイト(自由)に言いかえていたが、ベートーベンもシラーも、自由という言葉を歓喜の歌にしたためてはいない。人は何より自分の生まれという現実から自由にはなり得ない。

しかし幸いなことに、少なくとも舞台の上（創造の中）では、時間と場所からも自由になることを共有できる瞬間がある。それが「夢」ではなくて現実に起こるのが舞台だ。

あとがき

「あと二年で引退だあ！」

とか大げさに言わないと自分を奮い立たせることができないのか……⁉

人から見ればすべてが芝居がかって見えるとも、想像できないわけではない。

自分が大事で、不寛容でだらしのない性格の俺だが、八年前、神によってサッと人生の幕が下ろされそうになったことが、この「神をも恐れぬ大言壮語」を生んだと思っている。

あの一年間の闘病中、音楽は助けにならず、癒しにならず、ただただ苦しみから逃れたいだけだった。

しかしあれだけ角を突き合わせていたオーケストラの楽員達から千羽鶴が届いた時、なんと心は、天邪鬼にも、「治ったらもう妥協しない、する暇はない」と激しく学んだのだった。

十四でも、四十四でも六十四歳でも、「また次の時に……。その時のために」身をかわしておこうと思った自分を呪った。

コンサートでなくとも、練習時でも、すれ違う見知らぬ人とであっても、「その日の出来事」は決して二度目がないことを学んだ！　何でも写真に撮って人に見せる一〇〇億総スターの時代だが、目の前に起こったことは過ぎ去ったこと、実はもう二度とこないこと。人と戦うにしても愛するにしても、生きている自分がいなければ「無い」ことを。

このエッセイ集は、子供であったのに、「欺瞞と妥協に満ちたこの世なら、いっそ一〇〇%虚構な舞台でこそ神が現れ、真実が語られる」と何故か気づいた、「降伏」と戦後の「幸福」な日本の「敗戦を終戦と呼んだ世代」の申し子、偽のミッキーマウスの激しく、隠し事のない文章です。僕にエッセイを書く場を与えた新聞雑誌ほか各社各団体の皆さんと、次のような態度に賛意をもって膨大な過去の文章を選んでくれた三修社の上山さんに感謝します。

芸術以外に生甲斐なんか残されていないぜ。勇気があれば人間は捨てたもんじゃないぜ。遠慮は芸術の敵だろう。

二〇二二年十二月　井上道義

初出媒体発行元一覧（本書収録順）

「みち michi」日本道路公団
「未来だった今より」朝日新聞社金沢総局（朝日新聞石川版連載より選り抜き）
「指揮者のぬり絵」京都新聞社（京都新聞夕刊連載より選り抜き）
「盛和塾」盛和塾
「ホメオ京都Ｉ」ホメオ京都事務局
「音脈」東京文化会館
「文芸会館友の会ニュース」京都府立文化芸術会館
「分」ジェイティクリエイティブサービス
「京都民報」京都民報社
「道義より」井上道義オフィシャルウェブサイト
「日本芸術文化振興会ニュース」日本芸術文化振興会
「音楽現代」芸術現代社
「DA・I・KU」三修社
「礼拝と音楽」日本キリスト教団出版局
「第四十七回　京都薪能」京都能楽会
「ムジカノーヴァ」音楽之友社
「日露友好ショスタコーヴィチ祝祭ガラ・コンサート」KAJIMOTO

「ロ露友好ショスタコーヴィチ交響曲全曲演奏プロジェクト」KAJIMOTO
「日比谷公会堂開設八十周年記念式典&コンサート」日比谷公会堂
「毎日小学生新聞」毎日新聞社
「国立能楽堂」日本芸術文化振興会
「コンサートオペラ vol.1　バルトーク　青ひげ公の城」東京芸術劇場
「サラ・デイヴィス・ビュクナー Mozart Innovation」京都府立府民ホール アルティ
「デボネアVプレス　こだわりの紳士録」三菱自動車工業
「ミューズ　サントリーホール・メンバーズ・クラブ会報誌」サントリーホール
「銀座百点」銀座百店会
「パルテノン多摩二十五周年記念」多摩市文化振興財団
「京都新聞夕刊」京都新聞社
「CLASSIC 21 MEMBERS' NEWS」東芝イーエムアイ
「産経新聞大阪版」産業経済新聞社大阪本社
「芸劇、変身中。」東京芸術劇場

*本書編集にあたり、一部、タイトル・見出しの変更や付記、本文の改稿をおこなった。

*Ⅲ街から街へ「成城町」は本書初出。Ⅳ交差点「オーケストラと僕」、「エネルギーをくれた人たち」は書き下ろし。

著者

井上道義（いのうえ・みちよし）

指揮者。1946年東京生まれ。桐朋学園大学卒業。1971年ミラノ・スカラ座主催グィド・カンテルリ指揮者コンクールに優勝して以来、一躍内外の注目を集め、世界的な活躍を開始する。ニュージーランド国立交響楽団首席客演指揮者、新日本フィルハーモニー交響楽団音楽監督、京都市交響楽団音楽監督、大阪フィルハーモニー交響楽団首席指揮者、オーケストラ・アンサンブル金沢音楽監督を歴任し、斬新な企画と豊かな音楽性で一時代を切り開いた。シカゴ響、ベルリン放送響、ミュンヘン・フィル、スカラ・フィル、レニングラード響、ベネズエラ・シモン・ボリバルなどにも登場している。

2007年、日露5つのオーケストラとともに「日露友好ショスタコーヴィチ交響曲全曲演奏プロジェクト」を実施し、音楽・企画の両面で大きな成功を収めた。2014年4月、病に倒れるが同年10月に復帰を遂げる。2015 & 2020年全国共同制作オペラ「フィガロの結婚」（野田秀樹演出）、2017年大阪国際フェスティバル「バーンスタイン：ミサ」を自身23年ぶりに、2019年全国共同制作オペラ「ドン・ジョヴァンニ」（森山開次演出）、いずれも総監督として率い既成概念にとらわれない唯一無二の舞台を作り上げている。

2010年「京都市文化功労者」、社団法人企業メセナ協議会「音もてなし賞（京都ブライトンホテル）」、2016年「渡邊暁雄基金特別賞」、「東燃ゼネラル音楽賞」、2018年「大阪文化賞」「大阪文化祭賞」「音楽クリティック・クラブ賞」、2019年「有馬賞」を受賞。

2018年9月、日越外交関係樹立45周年記念NHK交響楽団ベトナム公演を成功に導き、70歳を超えた現在その演奏は益々円熟味を増している。オーケストラ・アンサンブル金沢桂冠指揮者。オフィシャルサイト http://www.michiyoshi-inoue.com/

装幀・扉・目次デザイン

森崎由梨（東京ハッスルコピー）

本文レイアウト・組版

日経印刷制作部

編集協力

渋江陽子

企画制作

上山直寛

降福（こうふく）からの道　欲張り指揮者のエッセイ集

2023年1月30日　第1刷発行

著　者　井上道義
発行者　前田俊秀
発行所　株式会社 三修社
〒150-0001 東京都渋谷区神宮前 2-2-22
TEL. 03-3405-4511
FAX. 03-3405-4522
https://www.sanshusha.co.jp

印刷所　日経印刷株式会社
製本所　牧製本印刷株式会社

ISBN978-4-384-06801-6 C0073 Printed in Japan